KiWi 96

Günter Wallraff
Neue Reportagen, Untersuchungen
und Lehrbeispiele

Günter Wallraff

Neue Reportagen, Untersuchungen und Lehrbeispiele

Kiepenheuer & Witsch

© 1970, 1976, 1986 by Verlag Kiepenheuer & Witsch, Köln
Umschlag Hannes Jähn, Köln
Gesamtherstellung Clausen & Bosse, Leck
ISBN 3 462 01756 X

Für Birgit

Inhalt

Brauner Sud im Filterwerk   Melitta-Report

»Hygienische und saubere Fabrikations- und Verwaltungstrakte rufen immer wieder bei den Besuchern aus dem In- und Ausland Erstaunen hervor. ›Das hätten wir hinter dem Namen Melitta nicht erwartet!‹ hören wir immer wieder. Der Satz ›außen hui, innen pfui‹ trifft bestimmt nicht zu.« (aus der Melitta-Werkzeitschrift »Rund um Melitta«, Dezember 69)
Davon wollte ich mich überzeugen, jedoch nicht als »Besucher«. Ich borgte mir von einem Arbeiter die Arbeitspapiere und fuhr nach Minden. Auf einem Schild vor den Werkstoren waren zwar nur »Nachtwächter«-Stellen ausgeschrieben, ich versuchte es trotzdem.
Der Melitta-Konzern zählt mit seinen insgesamt 8500 Beschäftigten zu den 100 größten Firmengiganten der Bundesrepublik. Die »Melitta-Gruppe« im Inland: Hauptwerk Minden, Zweigniederlassungen Rahling und Uchte; Carl Ronning, Bremen; August Blase GmbH, Lübbecke; Gustav Geber GmbH, Hamburg; D. Hansen & Co, Hamburg; Deutsche Granini GmbH & Co, Bielefeld; Altländer Gold in Buxtehude, Krefeld, Bissingen; Wein Ellermann; Faber-Kaffee, Bremen; Vox-Kaffee, Münster; – im Ausland: Schweden, Dänemark, Holland, Belgien, Frankreich, Schweiz, Österreich, Großbritannien, Kanada, USA, Brasilien, Kolumbien, Mexiko. In über 90 Länder wird exportiert. Der Jahresumsatz der »Melitta-Gruppe« liegt bei 650 Millionen DM. Das Firmengebäude macht von außen nicht den Eindruck einer düsteren Industrielandschaft, der übermannshohe Drahtzaun führt nur um die Produktionsstätte herum, den Angestelltentrakt umfriedet eine gepflegte Hecke. Von außen entsteht auf den ersten Blick nicht unbedingt der Eindruck einer Fabrik, eine Altenheimstätte einer Großstadt oder der neugebaute Teil des »Heims zum guten Hirten« in Aachen etwa (ein Heim für sogenannte schwererziehbare Mädchen), könnte es ebenfalls sein.
Als ich den Werkschutzmann an der Pforte nach der Personalabteilung frage, versteht er mich nicht. Als ich sage, daß ich mich als Arbeiter bewerben will, schickt er mich zur

»Sozialabteilung«. Der Dame auf der Sozialabteilung sage ich, daß ich eine Stelle als Arbeiter suche. Sie sagt, daß es am einfachsten sei, als »Hilfswerker« anzufangen, um dann nach 10jähriger Melitta-Zugehörigkeit »Stammarbeiter« zu werden.

Bevor sie mich einstellen könne, müsse ich am nächsten Tag zum Vertragsarzt des Werkes, gesund müsse ich sein, dann könne man weitersehen. Der Vertragsarzt untersucht mich, als ob er im Akkord arbeite. Er schaut mir ins Maul, befühlt die Festigkeit der Muskulatur und sucht das Knochengerüst in einer durchgehenden Bewegung nach schadhaften Stellen ab. Dann quetscht er mich in ein Durchleuchtungsgerät. Innerhalb weniger Minuten hat er meine Verwendungsfähigkeit herausgefunden. »Keine Bedenken«, sagt er und schickt mich wieder zur »Sozialabteilung«.

Die Dame in der Sozialabteilung sagt, »50 Mark« koste das Werk die Untersuchung, im Versand sei noch was frei. Der Leiter des Versands, ein Herr Ostermeyer, wird über Lautsprecher herbeigerufen, um mich in »Augenschein zu nehmen«. Er will wissen, was ich vorher gemacht habe, und als ich die Ausrede vorbringe, ich hätte bisher Kunst studiert, könnte davon jedoch nicht meine Familie ernähren und wolle nun auf einen soliden Beruf umsatteln, schüttelt er nur bedenklich den Kopf. »Das kenn ich, das kenn ich. Die Maler, Maurer und Seeleute sind die schlimmsten. Die kommen und versprechen, daß sie bleiben wollen, und im Frühjahr, wenn's wärmer wird, türmen sie wieder.« Er hat ernsthafte Bedenken gegen meine Einstellung. Ich muß ihm versprechen, daß ich hier wirklich eine Lebensstellung antreten will, dann will er's mit mir versuchen. Stundenlohn »4,71« sagt er noch und »morgen Beginn mit Frühschicht 6.00 Uhr«.

Wer bei »Melitta« arbeitet, unterwirft sich einem Gesetz, das mit »Block und Blei« überschrieben ist.

Der Verfasser dieses Gesetzes verkündet darin vorweg, daß es »nach eigenen, besonderen Grundsätzen aufgebaut« sei, um alles »noch straffer zu gestalten«. Er »verlangt«, daß »alle« jenes Gesetz »restlos beherrschen und immer danach handeln«. »Ordnung und Disziplin« schreibt dieses Gesetz in der Einleitung vor, und später in den Ausführungsbestimmungen ist von »Erziehung« und »gründlichem Generalräumen« die Rede, von »Anmarsch« und »Anmarschwegen« und von einem »besonderen Appell«, den man den Neueinrückenden angedeihen läßt.

Von Tätigkeitsworten kommt »zwingen« besonders häufig vor, ebenso wie »kontrollieren«, jedoch auch die Kombination »zwingende Kontrolle« wird einige Male verwandt.

»Melden« kommt in vielen Variationen vor; wie z. B. »sich melden müssen«, »Meldung erstatten«, bis hin zur Forderung: »Nichts selbst einführen, sondern melden.«

Weiter im Sprachgebrauch dieses Gesetzes sind: »scharf prüfen«, »Ruhe gebieten«, »ohne Rücksicht«, »kein Kompromiß«, »kameradschaftlich«, »tadellos«, »unantastbar«, »sauber«, »gründlich«, »ordentlich«, »streng«, »Arbeitseinsatz«, »Abkommandierung«, »überwachen«, (auch gebräuchlich mit der Verstärkung: »laufend überwachen«), »bestraft werden«.

Verlangt wird: »Alles strikt befolgen, bis anders angewiesen«, und noch unmißverständlicher: »Jede Anweisung ist strikt zu befolgen! Niemand darf von sich aus Anweisungen ändern, selbst wenn sie ihm völlig sinnlos erscheinen.«

Das Gesetz gebietet: »Jeder soll immer auf seinem Platz sein«, und wenn das einmal nicht der Fall ist, fragt der Vorgesetzte Untergebene, »die er unterwegs, d. h. nicht an ihrem Platz antrifft, nach ihrem Weg und Auftrag«.

Ansonsten sorgen Lautsprecher dafür, daß jeder jederzeit überall auffindbar ist: »Wir legen Lautsprecher in alle Arbeitsräume, in Gemeinschaftsräume, auf die Grünplätze, auf die Höfe«, um so alles »innen und außen besprechen zu können«.

Die »Führung« des Territoriums macht die ihr Unterstellten ausdrücklich darauf aufmerksam: »Wie alles überwachen wir auch das Telefonieren. Es geschieht durch Mithörer, die an einigen Plätzen angebracht sind. Vorurteile hiergegen sind vollkommen unberechtigt«.

Mehrmals weist die »Leitung« die Untergebenen darauf hin, daß die Anordnungen des Gesetzes dazu da sind, die »Schlagfertigkeit« der Organisation zu »erhöhen«.

»Ein Passierschein kontrolliert, so daß keinerlei Lücken in der Kontrolle aller Beschäftigten entstehen können.«

Darüber hinaus »muß der Pförtner mit aufpassen . . ., wenn wir unabgemeldet zu ›türmen‹ versuchen«.

Die Betriebsordnung, Ausgabe Mai 1970, ist gültig für die 8500 Beschäftigten des Melitta-Konzerns, Minden. Verantwortlich: Konzernherr Horst Bentz, 66, Alleinherrscher der Unternehmensgruppe.

»Wir alle können stolz darauf sein, durch diese Organisationsanweisung (»Block und Blei«) nicht nur eine so ausgezeichnete Ordnung in unserem Betrieb erreicht zu haben, sondern auch eine außerordentliche Schlagkraft. Damit verdanken wir ›Block und Blei‹ einen erheblichen Teil unseres wirtschaftlichen Erfolges.« (Horst Bentz in der hauseigenen Zeitschrift »Rund um Melitta«, 15. Oktober 1970).

Die ersten 14 Tage transportierte ich mit zwei anderen Arbeitern mit Hubwagen Lagerbestände aus dem Keller in den Versand. Nach einer Woche wird mir bewußt, daß unsere Arbeit mit den Preissteigerungen zu tun hat, die Melitta für Anfang des neuen Jahres angekündigt hat und die mit gestiegenen Produktions- und Lohnkosten motiviert werden. Wir müssen die zu alten Produktions- und Lohnbedingungen hergestellte Ware zu einem Sammelplatz befördern, wo die Packungen einzeln mit neuen Preisen versehen werden, um dann wieder auf Lager zu kommen.

Lange Zeit warb Bentz für sein ständig in der Expansion befindliches Unternehmen neue Beschäftigte mit scheinbar verlockenden Angeboten, verlangte dafür allerdings auch überdurchschnittliche Leistungen. Durch ein besonderes Punktsystem animierte er zu besonders hohen Arbeitsleistungen, forderte zu besonders niedrigen Fehlerquoten heraus und drückte außerdem noch beträchtlich den Krankheitsstand. Er machte seine Arbeiter glauben, sie seien am Gewinn beteiligt und der Mehrwert, den sie erarbeiteten, käme ihnen selbst zugute, was indirekt sogar zutraf, allerdings nur zu einem mikroskopisch kleinen Teil. Den Bärenanteil des Gewinns der so herausgeforderten Mehrarbeit schluckte er, und Arbeiter, die krank wurden, überlegten sich, ob sie sich nicht dennoch gesundmelden sollten: bei Erkrankung entfiel die Ertragsbeteiligung, die im Monat bis zu 150 DM betragen konnte. Damit nicht genug, mußte die gleiche Zeit, die man gewagt hatte, krank zu sein, auch noch ohne Ertragsbeteiligung gearbeitet werden. »Nach Fehlzeiten infolge Erkrankung muß eine gleichlange Zeit gearbeitet werden, in der keine Stundenpunktzahlen gutgeschrieben werden.« (Aus: »Unsere Ertragsbeteiligung«) »Jeder Deutsche, gleich ob Mann oder Frau, hat die Pflicht, gesund zu bleiben.« (Aus »Melitta-Echo« 1940). »Nur stärkste Selbstdisziplin bei Dir, Deinen Angehörigen, Deinen Mitarbeitern kann Erhöhung der Beiträge oder Minderung der Leistungen vermeiden.« (Beilage zu »Rund um Melitta« 1965). Folglich kann Kranksein für »Melittaner« eine Art Strafe bedeuten. »Der Arzt schrieb mich krank. Das tun Sie mal nicht, sagte ich«, berichtet eine Arbeiterin. Weil man ihr zuvor unbezahlten Urlaub verweigert hatte, befürchtete sie, Arbeitsunfähigkeit könne ihr als »Bummeln« ausgelegt werden. Aber der Arzt schrieb die Frau dennoch krank; und was sie befürchtet hatte, trat ein.

»Ich komme jetzt nicht als Krankenbesucher«, erklärte der Werkskontrolleur der Arbeiterin bei seiner Visite, »sondern von Ihrem Schichtbüro. Sie haben keinen Urlaub gekriegt, und jetzt ist man der Meinung, daß Sie bummeln.« Der schlechte Gesundheitszustand der Frau ist jedoch so offensichtlich, daß selbst der Kontrolleur einräumt: »Ich glaube, daß Sie krank sind; aber wenn ich denen in der Firma das mal klarmachen könnte . . .«

Als die Arbeiterin ihre Tätigkeit wiederaufnimmt, fühlt sie sich von ihrem Schichtleiter schikaniert. Von sitzender Arbeit an der Maschine wird sie – kaum zurück und von der Krankheit noch geschwächt – in Akkord ans Packband versetzt, wo sie stehen muß. »Als es hieß, die sortieren schon wieder aus im Büro, die schmeißen die raus, die viel krank gewesen sind«, erzählt die Arbeiterin, »konnte ich mir denken, jetzt bist du auch dabei, falls du nicht vorher selbst kündigst.« Sie war dabei. »Aus betrieblichen Gründen«, hieß es im Entlassungsbescheid.

»Das Ende der Arbeitsunfähigkeit sollte nicht davon abhängen, daß einem etwa das ›Krankfeiern‹ auf die Dauer schließlich zu langweilig wird . . . Die Lohnfortzahlung kann und darf nicht dazu führen, die Zügel schleifen zu lassen.« (Aus »Rund um Melitta« – Beilage »Der Krankenbesucher bittet um Aufmerksamkeit«).

Da es ein patriarchalisch geführtes Unternehmen ist, erhalten die im Konzern beschäftigten ca. 70 Prozent Frauen häufig für die gleiche Arbeit weniger Lohn als die Männer, – bis zu 50 Pfennig weniger pro Stunde. Dafür gestattete man den Frauen 12-Stunden-Nachtschichten von abends 6 bis morgens 6, auch 17jährige Mädchen darunter und ältere Frauen, die bis zu drei Wochen hintereinander nach diesem Marathonrhythmus schufteten. (Das Gesetz, das Frauen vor Nachtarbeit schützt, wurde umgangen, und erst nach mehrmaliger Beschwerde der Gewerkschaft schritt das Gewerbeaufsichtsamt ein und verhängte eine »Ordnungsverfügung mit der Androhung eines Zwangsgeldes bei erneutem Verstoß«.)

Nicht selten tut sich Melittachef Bentz als Mäzen hervor. Als ehemaliger Fußballspieler unterstützt er Sportvereine und hat aktive Sportler unter besonders günstigen Bedingungen bei sich eingestellt. So wurde bei einem aktiven Fußballspieler, der nur als Hilfsarbeiter bei ihm arbeitete, ein Lohnstreifen mit der beachtlichen Monatsabrechnung von 1750 DM gefunden.

Handballnationalspieler Lübking, prominentester Torjäger des von Bentz geförderten Bundesligahandballvereins Grünweiß Dankersen, arbeitete bis vor einigen Monaten bei Melitta. Als er es wagte, aus beruflichen Gründen den Verein zu wechseln, verzieh ihm das Bentz nicht. Er »beurlaubte« ihn fristlos und verhängte Hausverbot über ihn, obwohl sich Lübking auf seiner Arbeitsstelle nichts hatte zuschulden kommen lassen.

Unter dem Motto »Einer für alle, alle für einen« erwartet er von seinen Getreuen Opfersinn, wenn es ihm nützlich erscheint. Als das »Melitta-Bad« gebaut wurde, sollte sich jeder Arbeiter mit einer »Spende« in Form eines Stundeslohnes daran beteiligen. Wer sich ausschließen wollte, hatte das schriftlich zu begründen. Der Arbeiter Wilhelm P., der nichts spendete, weil er gerade sein Haus baute und mit dem Pfennig rechnen mußte, bekam sein »unsoziales Verhalten« sehr bald zurückgezahlt. Als er 25jähriges Jubiläum hatte, war der Jubel nur noch halb so groß. Das zu diesem Anlaß übliche Firmengeschenk in Höhe von 700 DM wurde bei ihm um die Hälfte gekürzt.

»... innerhalb des Werkgrundstückes, im Freien und in allen Räumen einschließlich Toilette ist das Rauchen grundsätzlich streng verboten. Jede Übertretung dieses Verbots wird mit sofortiger fristloser Entlassung ohne Ansehen der

Person geahndet.« (Aus der erweiterten »Melitta-Hausord-nung«). Selbst auf den Toiletten des Werks hat der passio-nierte Nichtraucher Bentz Schilder anbringen lassen: »Auch hier ist das Rauchen verboten!«, was nicht mehr mit »Feuer-gefährdung« zu motivieren sein dürfte. In »Rund um Melit-ta«, Oktober 1970, missioniert der Firmenchef denn auch zu dem Thema: »Abgesehen davon weiß ich, von Dutzenden, vielleicht Hunderten von passionierten Rauchern, die dank-bar sind, durch das Rauchverbot im Betrieb vom Rauchen abgekommen zu sein.« ». . . als leidenschaftlicher Nichtrau-cher griff der Melittachef zur Zigarre. Das war 1965. Er-staunen in der Branche. Bentz kaufte die Zigarrenfabrik August Blase (Hauptmarke: Erntekrone), baute in Lüb-becke die modernste Tabakaufbereitungsanlage des Konti-nents, wurde fast über Nacht auf jenem schwierigen Feld unserer Wirtschaft zum drittgrößten Hersteller.« (Aus »Die Westdeutsche Wirtschaft und ihre führenden Männer«, Bd. I; in dem Band können sich Industrielle für 2400 DM pro Seite entsprechend würdigen; Bentz-Würdigung = 6 Seiten). »Ebenso sind viele Nichtraucher (bei Melitta) dankbar, nicht vom Rauch der anderen belästigt zu werden.« (Aus »Rund um Melitta«, Okt. 1970, »Horst Bentz nimmt Stel-lung«). »Blase-Zigarren mögen eben auch Nichtraucher gern. Ihr Rauch bezaubert.« (Werbespruch aus dem »Melit-ta-Kundenkalender 1971«).
Die Arbeit ist körperlich ziemlich anstrengend. Es kommt vor, daß bei allzu heftigem Ziehen ein Podest mit Filtern oder Filterpapier umkippt; da ist ein Spanier, mit dem ich zusammenarbeite, der sagt, »ist mir am Anfang auch schon passiert« und mir beim Aufstapeln hilft. Er macht mich auch auf die Unfallgefahren, die die Karren mit den Eisenrädern mit sich bringen, aufmerksam.
Ich hole mir einige Prellungen an den Füßen; und die mei-sten hier haben schon Fußverletzungen gehabt, wenn ihnen ein schwer beladener Hubwagen über den Fuß gerollt ist. Sicherheitsschuhe mit Eisenkappen, die das Verhindern würden, werden vom Werk nicht gestellt, darum trägt sie auch keiner hier. Dafür hängt jedoch ein Aushang aus, in dem die Firma die steigende Unfallquote beklagt: »Bei Ver-stößen gegen die allgemeinen Unfallverhütungsvorschriften durch Unternehmer oder Versicherte, werden die Strafbe-

stimmungen des § 710 RVO angewendet. Die Ordnungsstrafen können bis 10 000 DM betragen . . . Die Berufsge-
nossenschaft Druck und Papier hat in zwei Schreiben auf das
Tragen von Sicherheitsschuhen hingewiesen. Es darf zumindest erwartet werden, daß festes Schuhwerk grundsätzlich bei der Arbeit getragen wird.« Die Praxis beweist, daß
»festes Schuhwerk« kein Ersatz für Sicherheitsschuhe ist.
Der Spanier, von einigen »Amigo«, von anderen »Ganove«
genannt, ist sieben Jahre bei Melitta. Seine Frau auch. Sie
bewohnen zwar dieselbe Wohnung, sind aber nur sonntags
wirklich zusammen. Wenn er Frühschicht hat, macht seine
Frau Spätschicht. Wenn er nachts um halb zwölf von der
Spätschicht kommt, muß er leise sein, um seine Frau nicht zu
wecken. Sie muß vor 5 Uhr aufstehen, um pünktlich zur
Frühschicht zu erscheinen. Ihr Problem: sie finden für ihr
Kleinkind keinen Kindergarten und müssen darum in
Wechselschicht selber darauf aufpassen.
Viele, vor allem die jüngeren Arbeiter, sind zu dem Spanier
nicht anders als zu ihren deutschen Kollegen. Andere wieder suchen jede Gelegenheit, ihn anzupöbeln. Einige bringen ihre eigene ungesicherte Existenz zum Ausdruck, indem
sie ihm frohlockend erklären: »Bald kommt der Tag, da
schiebt euch Bentz von einem über den andern Tag alle nach
Hause ab.« (Vor einigen Jahren hatte der oberste Chef
seinen Arbeitern ins Gewissen geredet: Wenn jeder deutsche Arbeiter wöchentlich 2 Stunden mehr arbeiten würde,
könnte von der Beschäftigung der Ausländer Abstand genommen werden). Andere werden ihre Aggressionen los,
indem sie den »Amigo« mit »Kommunist« beschimpfen, obwohl der Spanier den Papst verehrt. Ein älterer
»Stammarbeiter« von Melitta deutet ihm während der Arbeit einmal genüßlich die Geste des Halsabschneidens an,
während er sagt: »Alle werden wir euch killen, wenn ihr
unserm Konsul auch nur ein Haar krümmt.« (In Spanien
hatten revolutionäre Basken gerade den deutschen Konsul
entführt.)
Der Spanier versucht in solchen Situationen meistens mit
einer scherzhaften Bemerkung, den Kontrahenten milde zu
stimmen. Wenn es gelingt, lachen beide, wenn die Anfein-
dung weitergeht, kommt es vor, daß sich der Spanier – im
Bewußtsein seiner Ohnmacht und seines Ausgeliefertseins –

zwischen die Podeste verkriecht, die Zähne aufeinander-
beißt und am ganzen Körper zittert. Der Spanier ist sehr
nervös. Er schreibt es dem wenigen Schlaf zu – 5 Stunden in
der Regel –, dem monatlichen »Pflichtsamstag« und den
Sonnabenden, an denen häufig auch noch Überstunden gemacht werden.

Auf allen Werkstoiletten für Arbeiter sind Pappschilder
angebracht: dort steht in sechs Sprachen: »Nach Benutzung
der Toilette bitte unbedingt die Hände waschen.« Auf einer
Toilette hat jemand das »unbedingt« durchgestrichen und
mit rot eine Deutung daruntergeschrieben: ». . . nicht nötig,
wir sind schon Schweine . . .« – Auf einem anderen obligatorischen Toilettenwandspruch »Auch hier ist das Rauchen
verboten« hat jemand das »Rauchen« durch »Denken«
ersetzt.

»Pflicht« wird groß geschrieben bei »Melitta«. Der militärische Leitsatz: »Ein guter Soldat vergißt über seinen Pflichten seine Rechte« scheint hier verinnerlicht.

Ein älterer Arbeiter an der Ballenpresse z. B. erscheint
täglich eine Stunde früher zum Dienst, um durch Säuberung
und Wartung seine Maschine in den Bestzustand zu verset-
zen: das macht er ohne Bezahlung. 1970 zahlte Bentz seinen
»Melittanern« ca. 230 DM Weihnachtsgeld bar aus. Angeblich soll ein weiterer Teil des Weihnachts-, ebenso wie Ur-
laubsgeldes, im normalen Lohn versteckt sein, der von diesen angeblichen Extras befreit, jedoch äußerst kläglich wäre. Arbeiter, die längere Zeit durch Krankheit ausgefallen
waren, büßten dafür an Weihnachtsgeld ein. Besonders ältere, die einige Monate krank oder zur Kur verschickt waren,
mußten mit ca. 50 DM Weihnachtsgeld vorliebnehmen.

»Wie sagte doch Hans Keil bei seinem Vortrag auf der
KD-Großkonferenz anläßlich des Ronning-Jubiläums in
Bremen: ›Fußkranke, Lahme und ängstliche Marschierer
sind unerwünscht‹.« (Aus: »Rund um Melitta«, 12/69).

»Urlaub habe ich nie gekannt. Während meiner 50jährigen
Tätigkeit – die nur durch meinen Wehrdienst unterbrochen
war, habe ich nicht einen einzigen Tag gefehlt«, und mit
einem Augenzwinkern fügte er hinzu: »Ich will mal ehrlich
sein, einen halben Tag habe ich mir einmal frei genommen.
Das war der Tag, an dem ich heiratete.«

(Aus: »Rund um Melitta«, August 1970, Aufmacher S. 1

zum 50jährigen Betriebsjubiläum des Arbeiters Friedrich Dirksmeier.)

Was dem Arbeiter durch Gesetz zusteht, wird auch bei »Melitta« noch unter »sozialen« Gesichtspunkten gesehen. Wer das Werk verlassen will, kündigt nicht einfach, wie es üblich ist, sondern hier läßt man ihn erst einen »Kündigungsantrag« stellen. Die Abteilung, die woanders Personal- oder Einstellungsabteilung genannt wird, wird bei »Melitta« unter »Sozialabteilung« geführt. Dafür wird man im Einstellungsbogen nach Militärdienst und Kriegsgefangenschaft und nach »Gewerkschaftszugehörigkeit« gefragt, und Frauen haben Auskunft über den Zeitpunkt ihrer letzten Periode zu geben.

Obwohl die 40-Stundenwoche bei vollem Lohnausgleich in der Branche längst üblich ist, hält Bentz noch die 42-Stundenwoche aufrecht. Bentz in einem Schreiben vom 25. 8. 70 an die IG-Druck und Papier: »Hier sehe ich praktisch überhaupt keine Möglichkeit, in der nächsten Zeit etwas zu ändern; denn wenn wir 2 Stunden weniger arbeiten, das sind 5 %, würde das bei 4000 Mitarbeitern eine zusätzliche Neueinstellung von 200 Mitarbeitern bedeuten, was überhaupt nicht zur Debatte steht.«

Der »Betriebsrat« der Melittawerke wird von den wenigen Arbeitern, die es wagen, weiterhin der Gewerkschaft anzugehören, spöttisch »Geschäftsrat« genannt. Die Leiterin der »Sozialabteilung«, eine Cousine von Bentz, gehört ihm an und u. a. einige höhere Angestellte. Zweimal wöchentlich empfängt dieser Betriebsrat für jeweils 2 Stunden in der Bücherei der »Sozialabteilung«.

In einem Interview in der neuesten »Rund um Melitta«, vom 21. 12. 1970, gesteht der Betriebsrat seine Funktionslosigkeit ein. »Seit ich im Mai gewählt worden bin, waren ganze fünf Leute bei mir.« Er scheint das so in Ordnung zu finden und preist die »Sozialabteilung«, die angeblich »viele Aufgaben« erfüllt, die in anderen Betrieben der Betriebsrat wahrnähme.

In einer früheren Werkszeitung wird stolz verkündet: »Fritz Sinock *einstimmig* zum Betriebsratsvorsitzenden gewählt.« Auch bei anderen Abstimmungen im Hause »Melitta« wird so manches »einstimmig« beschlossen, wobei offengelassen wird, ob es sich um »Einstimmigkeit« oder um die eine

Stimme des Herrn Bentz handelt. Die Maschinenarbeiterin Frau S. berichtet, wie so ein Betriebsentscheid durchgeführt wurde, als die tarifliche Arbeitszeit sich auf 40 Stunden verkürzte, Bentz jedoch seinen »Melittanern« die 42-Stundenwoche nicht so ohne weiteres wieder nehmen wollte: »Die Belegschaft sollte darüber abstimmen. Mit einem weißen Blatt gingen die Vorgesetzten durch die Abteilungen. Auf der einen Seite stand ›ja‹, auf der anderen Seite stand ›nein‹. Ich weiß genau, bei uns in der Abteilung waren es nur ein paar Ausländer, die ›ja‹ angekreuzt hatten. Die anderen haben gesagt, wir lassen uns doch den freien Sonnabend nicht nehmen. Auf der Liste, ich hab extra draufgeschaut, stand eine lange Reihe ›nein‹, ein paarmal nur ›ja‹.

Später hing dann ein Aushang am Schwarzen Brett, Herr Bentz bedanke sich, daß wir so viel Verständnis hätten und die 42-Stundenwoche freiwillig machen würden. Von anderen Abteilungen habe ich gehört, daß da überhaupt nicht gefragt worden ist. Allgemein hieß es, daß der Betriebsentscheid fast einstimmig zustande gekommen sei.«

Wenn es eben geht, hält Bentz von seiner Belegschaft »Ungemach« fern. Als die Gewerkschaft vor den Fabriktoren Flugblätter verteilte, hatte Bentz die besseren Argumente, indem er seine Arbeiter beschenkte. An den Werksausgängen ließ er Melitta-Erzeugnisse 2. Wahl aufstapeln; jeder konnte so viel mitnehmen, wie er tragen konnte, und die meisten waren so bepackt, daß sie ihre Hände nicht auch noch nach Flugblättern ausstrecken konnten.

Nicht nur vor ideellem, auch vor materiellem Schaden bewahrt der Konzernherr seine Belegschaft (in einer Rede im vorigen Jahr an die »lieben Mitarbeiter«): »Und Sie müssen sich auch die Frage vorlegen, wofür Sie Gewerkschaftsbeiträge bezahlen! Ich habe die Verträge und alles durchgearbeitet . . . und muß feststellen, daß die Beiträge in keinem Verhältnis zu den Leistungen stehen. Aber Sie werden sich das genau ausrechnen und dann selber entscheiden, ob Sie Ihr Geld sinnvoll ausgeben wollen.«

»Das wirtschaftliche Ergebnis war verhältnismäßig erfreulich. Um so unerfreulicher waren die gemeinen Angriffe, die in diesem Jahr gegen unser Werk und mich persönlich geführt wurden. Was dabei an Gehässigkeiten und Unwahrheiten aufgebracht wurde, überschreitet jede vorstellbare

Grenze. Ich frage mich oft, wie traurig und leer es in solchen Menschen aussehen mag, die nichts anderes tun, als mit Haß und Gemeinheit Unfrieden zu stiften versuchen und zerstören wollen.« (Horst Bentz in »Rund um Melitta«, 21. 12. 1970)

Sie waren gemeinsam von Dresden nach Westdeutschland übergesiedelt, die Familien Bentz und Winkler. Ab 1950 traten sie in enge Geschäftsbeziehungen. Bentz-Freund Winkler lieferte »Melitta« Papier. Das Geschäft blühte. Winkler: »Bentz hatte uns schließlich eröffnet, wir brauchen immer mehr.« Der Papierhersteller steigerte seine Kapazität. In Koppenheim bei Rastatt entstand ein neues Werk. »Bentz hatte uns zu diesem Neubau ermutigt. 1958 – von einem Tag auf den anderen – ließ er mich unvermittelt auf Neubau und Papier sitzen.« »Melitta« hatte über Nacht eine eigene Papierfabrik in Ostfriesland errichtet. Winkler ging in Konkurs. In Liebenzell im Schwarzwald stieg er später in die Kaffee-Filter-Herstellung ein. Nach seiner Frau Brigitte benannte er die Filtertüten »Brigitte-Filter«. Kaum war das neue Produkt auf dem Markt, leitete Bentz gegen die Winklers gerichtliche Schritte ein. Winkler: »Er hatte seinerzeit – das wußten wir nicht – circa 120 Warenzeichen gehortet, darunter war auch der Name ›Brigitta‹. Er wollte uns die Produktion unter diesem Zeichen untersagen lassen. Er ließ uns ausrichten, die Kampfpackung Brigitta-Filter stünde im Werk Minden »schon ewig und drei Tage Gewehr bei Fuß«. Vor Gericht wurde dem Antrag von Bentz stattgegeben; in einem Vergleich blieb Winkler nichts anderes übrig, als sich mit 5000 DM abfinden zu lassen. Der ehemalige Papierfabrikant Winkler: »Zutrauen tun wir Bentz mittlerweile alles. Wie ist es zum Beispiel dem Keramik-Werk Brauer in Porta ergangen, das auch einmal für Bentz gearbeitet hat? Denen wurde zuerst auch geraten, einen größeren Brennofen aufzustellen; dann wurde ihnen nichts mehr abgenommen. Schließlich konnte Bentz die ganze Anlage aus dem Konkurs ersteigern. Wenn's um Geld geht, kennt der kein Grüß Gott mehr.« »Die Geschichte der ersten 50 Jahre unseres Werks zeigt, daß es nicht Glück, Zufälle oder Tricks sind, wodurch schließlich ein großer Erfolg erzielt wird. Entscheidend ist allein, daß ein Werk eine Idee hat . . .« (Horst Bentz anläßlich des 50jährigen Firmenjubiläums)

Zur Jahreswende 1970 erwirbt die »Melitta-Gruppe« im Röstkaffee-Bereich nach Ronning und Faber-Kaffee das kurz vor seinem 50jährigen Jubiläum stehende Familienunternehmen »Vox-Kaffee Groneweg und Meintrup« aus Münster. Trotz steigender Umsätze (65 Millionen DM für 1970) muß sich das Unternehmen von »Melitta« schlucken lassen. In vornehmer Zurückhaltung kaschiert Bentz den erbarmungslosen Konkurrenzkampf, in dem der Stärkere dem Schwächeren die Bedingungen diktiert, der Öffentlichkeit gegenüber als »gedeihliche Zusammenarbeit«; Melitta-Presseinformation vom 30. 12. 70: »Konzentration im Kaffeebereich. Für das kommende Jahr wurde von den Firmen ›Melitta-Werke‹ Bentz & Sohn und ›Vox-Kaffee Groneweg und Meintrup‹, Münster, eine enge Zusammenarbeit der Vertriebsorganisation für die von den beiden Firmen vertriebenen Röstkaffee-Marken beschlossen . . . Durch gezieltes Marketing und Wettbewerbsmaßnahmen soll den Erfordernissen moderner Absatzplanung Rechnung getragen werden.« Die Vox-Außendienstmitarbeiter, die bisher das Kontaktnetz zur Geschäftswelt hielten, werden von Bentz voll übernommen. Der Großteil der 220 beschäftigten Arbeiter muß sich nach neuen Arbeitsplätzen umsehen. Bentz zur Pressemitteilung: »Also juristisch haben wir die Firma nicht gekauft . . . Zusammenarbeit ist vielleicht etwas zu wenig gesagt, wir haben sozusagen die Federführung . . . Es war auch so, der Herr Groneweg . . . das ist ein Mann, der seinen Betrieb in 50 Jahren aufgebaut hat und jetzt zwei Herzinfarkte hinter sich hat, der Mann ist 68, dem Mann ins Gesicht zu sagen: ›Hör zu, der Betrieb ist pleite‹ und Du mußt verkaufen; das wollen wir einfach nicht so sagen, das ist eine reine Formulierung . . . Er macht ja auch noch etwas weiter, seinen Kaffee-Ersatz . . .« Ebenfalls zum Jahresende 1970 setzte Horst Bentz die 250 Beschäftigten des vor 5 Jahren von ihm erworbenen Porzellanwerks Rehau in Oberfranken unter Mißachtung gesetzlicher Vorschriften in einer Massenentlassungsaktion auf die Straße. Weder wurde ein Sozialplan erstellt, noch der Betriebsrat um Zustimmung gebeten. Eine Diskussion über einen Interessenausgleich zwischen Belegschaft und Arbeitgeber erscheint Bentz als »völlig indiskutabel«. Für die Weiterbeschäftigung der Maschinen ist gesorgt. Sie werden vom Zweigwerk

Rahlin in Oldenburg übernommen. Gleichzeitig mit der Werkstillegung in Rehau wird die Anlagenkapazität im »Melitta«-Porzellan-Zweigwerk Rahling/Oldenburg erheblich ausgeweitet.

»Diesen beispiellosen Aufstieg erreichte Bentz mit recht unorthodoxen Mitteln . . . Doch die Gegner des Melitta-Chefs reiben sich nicht nur an seiner in den Grundgedanken 40 Jahre alten Fibel: vielmehr ärgern sie sich über andere Rationalisierungseinfälle des Unternehmers – weil sie so modern sind.« (Laudatio der »Bild-Zeitung« vom 11. Dez. 1970, »Was ist los bei Melitta?«) Im selben Artikel zeigt »Bild« ein Foto: »Entspannung beim Skat; ›Melitta‹-Chef Horst Bentz spielt mit seinen Angestellten.« Das Foto soll die Eintracht zwischen Arbeitgeber und Angestellten dokumentieren. Nur ist dieses Dokument eine der üblichen »Bild«-Fälschungen: Bentz spielt mit seinesgleichen Skat: mit Bäckereibesitzer Buchheister, Stadtbaumeister Dessauer und dem ehemaligen »Schriftwalter« des »Melitta-Echos« aus der NS-Zeit, Altkamerad Walter Herfurth, dem Bentz eine Betriebsrente von ca. 1000 DM zahlt.

»Treue-Urkunde – Frau F. E. ist heute zehn Jahre Mitarbeiterin der Firma Bentz & Sohn. In guten wie in schlechten Zeiten hielt sie treu zu unserem Werk. Wir gratulieren ihr herzlich zu diesem Arbeitsjubiläum und danken ihr durch die Aufnahme in den Kreis unserer Stamm-Mitarbeiterinnen. Melitta-Werk Bentz & Sohn, 1958.« Die Frau, die dieses Dokument in andächtiger Frömmigkeit vorzeigt, ist inzwischen 23 Jahre bei »Melitta«, hat sich vom Packband zur Angestellten im Verkauf hochgearbeitet. Angesprochen auf die angebliche Bentz-Spende von 140 000 DM an die NLA*, bringt sie ihre Ergebenheit zum Ausdruck: »Das glaube ich gar nicht, wenn der Chef sein Ehrenwort gibt darüber. Ich habe nur gesagt, die Gefolgschaft gibt ihm ja auch keine Rechenschaft ab. Es hat eine Angestellte gesagt: ›Und wenn er das Geld in der Toilette abspült, geht das auch keinen was an.‹ Der Chef lebt ganz bescheiden. Er hat mal

* Neues rechtes Sammelbecken »Nationalliberale Aktion« inzwischen als Partei »DU« (»Dte. Union« von F. J. Strauß als außerbayrische »CSU« mit initiiert).

am Mittagstisch gesagt: ›Warum kriege ich denn das nicht, was die anderen auch kriegen?‹ Man hatte ihm etwas Besseres vorgesetzt. Jawohl, Salate hatten sie ihm vorgesetzt. Aber er verlangte Eintopf. Er raucht nicht und trinkt nicht.«

Frau E. erzählt von einem persönlichen Erlebnis mit ihrem Chef, als er bei ihr Gnade vor Recht hat ergehen lassen: »Ich gehöre zu der Gemeinschaft der 7.-Tags-Adventisten. Als ich bei Melitta anfing, 1948, wurde dort samstags nicht gearbeitet. Dann kam's aber so, daß gearbeitet wurde. Dann bin ich an den Betriebsrat herangetreten und habe um den freien Samstag gebeten, weil wir an dem Schöpfungstag – am Samstag – nicht arbeiten. Der Betriebsrat und der Betriebsleiter haben meine Bitte abgelehnt, samstags zu Hause bleiben zu dürfen. Da habe ich gedacht: Jetzt bleibt mir nur noch ein Weg: zu Herrn Bentz zu gehen. Man hat mir gesagt vom Betriebsrat aus, ich sollte das nicht tun. Herr Bentz könnte sich mit solchen Lappalien nicht abgeben. Obwohl mir von allen Seiten abgeraten wurde, habe ich aber doch ein Herz gefaßt und bin zu ihm gegangen. Ich habe mich unten angemeldet, die Verwaltung war damals im ›Kurfürsten‹, dann wurde ich auch raufgelassen. Der Mann im Sekretariat hat meinen Namen aufgeschrieben, reingebracht und Herr Bentz hat gesagt: Bitteschön, ich sollte dann reinkommen. Er war ganz zuvorkommend. Er kam mir entgegen bis zum halben Raum und reichte mir die Hand und hat mich begrüßt.

Nehmen Sie Platz, hat er gesagt. Und dann habe ich gesagt: Herr Bentz, ich komme mit einer sehr großen Bitte zu Ihnen. Ich sage, ich habe einen anderen Glaubensweg; wir feiern den Samstag, wie es in der Heiligen Schrift steht. Dann hat er mich ausgefragt, Familienverhältnisse usw., und wo ich her bin. Und ich habe ihm gesagt: Sie als Arbeitgeber und unser Chef erwarten von Ihren Mitarbeitern Pünktlichkeit, Ehrlichkeit und Gehorsam, was ja Grundbedingung ist. Ich sage: Und genauso erwartet Gott von uns, daß wir doch seinen Geboten treu sein sollen. Er war sehr bewegt, ja. Und er sagte zu mir, er sorgte dafür, daß ich meinen Samstag frei kriege. Wie der mir entgegenkam, werde ich nie vergessen. Nie. Und mir hat das leid getan, als er hier im Fernsehen sprach. Ich habe auf der Couch gelegen. Mir ging es damals nicht gut, mir sind die Tränen gelaufen.«

In Ungnade war der Arbeiter H. S. gefallen, als er sich in einer Meinungsumfrage gegen die Einführung von Wechselschicht aussprach. Und das, obschon er seit Jahren zum privaten Schachkreis von Horst Bentz zählte. »Kurz und bündig ließ man mich wissen«, berichtete er, »Sie müssen Schicht machen oder Sie kommen in die Hofkolonne; Hofkolonne ist das letzte«, sagt er, »die in der Hofkolonne müssen alles machen – Strafkompanie!« Er versuchte es noch einmal bei der »Sozialabteilung«. »Ich hab gefragt, ob ich denn nicht was anderes arbeiten könnte. ›Es bleibt Ihnen nichts anderes übrig‹, sagte man mir, ›Sie müssen kündigen‹. Und das nach all den Jahren – es waren sechse.« Auf die Frage, warum er sich nicht an den Betriebsrat gewandt hätte: »Das sind ja hier doch nur Marionetten!«

»Verschweigen Sie Ihrem Betrieb nicht das Ei des Kolumbus. Unser Tip des Monats: Mit guten Vorschlägen lenken Sie das Interesse der Vorgesetzten auf sich. Nach qualifizierten Mitarbeitern hält man immer Ausschau. Also: Betriebliche Verbesserungsvorschläge einreichen.« (»Rund um Melitta«, Dez. 1967)

Im Januar 1968 erfand der Arbeiter R. eine neue Fertigungsmethode zur qualitativen Verbesserung der Kaffee-Filter-Tüten. Der Betriebsleiter trug die neue Idee – an der R. in seiner Freizeit anderthalb Monate zu Hause getüftelt hatte – Firmenchef Bentz vor. »Ingenieur Wilking sagte mir«, erzählte R., »das sei ein Patent. Er sagte, auf diese Idee wäre noch keiner gekommen.« Nach fünf Monaten eröffneten der Betriebsleiter und der Werks-Justitiar dem Arbeiter, sein Vorschlag sei zwar ohne Zweifel »patentreif«, seine Verwirklichung allerdings würde »Melitta« große Kosten verursachen. Und falls er selbst seine Erfindung als Patent anmelden wolle, müsse man erst nachsehen, ob »Melitta« nicht schon vor Jahren etwas ähnliches entwickelt hätte. R.: »Man bot mir schließlich an, meine Idee für 400 Mark abzutreten; und später, wenn sie verwirklicht würde, sollte ich auf Prozentbasis an der Produktion beteiligt werden. Für mich war der Fall erledigt, nach ein paar Wochen habe ich dann selbst gekündigt.« »Melitta« hätte die Idee des Arbeiters R. wahrscheinlich nie in die Tat umgesetzt, ihre Durchführung hätte die Umstellung eines Teils der Produktionsanlagen bedingt. Aber eine, für eine kleinere oder neuzugründende Firma völlig umwälzende Fertigungstechnik zur Herstellung von Kaffee-Filter-Tüten sollte um den Preis eines Trinkgeldes vor dem Zugriff einer möglichen Konkurrenz geschützt werden.

Auch der Arbeiter A. hatte einen brauchbaren Verbesserungsvorschlag, der seiner Meinung nach dem Werk ca. 3000–4000 DM Kosten ersparen würde, eingereicht, 150 DM wurden ihm dafür geboten, die er sich noch mit einem Kollegen teilen sollte. A., dem das zu wenig war, gab das Geld aus Protest zurück. Daraufhin wurde er von der Verlosung ausgeschlossen, die für alle betrieblichen Ideenspender und Erfinder durchgeführt wurde.

Und so rollt die Kugel, rollt das Glück bei der »Auslosung« der Preise, und wie es der Zufall so will, fielen die Haupttreffer – eine Urlaubsreise, ein VW, ein Fernsehgerät – ausschließlich an Angestellte der höchsten Gehaltsstufe. Eine Kaffeemaschine, einen Fotoapparat, eine Bohrmaschine und einen Grillautomaten spielte das Los Vorarbeitern und Schichtleitern zu. Selbst Arbeiter und Hilfswerker ließ das Glück nicht im Stich; einige gewannen als Trostpreise ein Kaffeeservice.

Mehreren SS-Rängen, die der ehemalige Obersturmbannführer Bentz nach Kriegsende in Sold nahm, fühlt er sich durch gemeinsame Vergangenheit verbunden. Wenn die teilweise angeschlagenen Kriegsveteranen intelligenz- und leistungsmäßig auch nicht mehr so auf der Höhe sind und teilweise aus ihren Spitzenpositionen von jüngeren Kräften verdrängt wurden, garantieren sie durch ihr militärisch straffes Auftreten Zucht und Ordnung bei Melitta. Der ehemalige Obersturmbannführer Tarneden z. B., jetzt Hauswachtleiter, hat von seinem militärischen Schliff nichts eingebüßt. Wenn er strammen Schritts durch die Werkshallen patrouilliert, kann es vorkommen, daß er Nachwuchs-Melittaner zusammenstaucht: »Stellen Sie sich erst mal gerade hin.«

Ein anderer, ein ehemaliger Obertruppführer der Waffen-SS, zeigt den »Arbeitskameraden« (Anrede von Bentz) in sentimentalen Minuten hin und wieder ein liebgewonnenes Kleinod vor: ein ihm von Heinrich Himmler verehrter Totenkopfring mit der Widmung: »Für besondere Verdienste«.

Bentz selbst, wegen seiner militärischen Hausordnung »Block und Blei« öffentlicher Kritik ausgesetzt, beruft sich in dieser Situation vorzugsweise auf die »Kapazität« Prof. Reinhard Höhn, Leiter der »Akademie für Führungskräfte der deutschen Wirtschaft« in Bad Harzburg, der Deutschlands Manager nach den gleichen Prinzipien ausrichte, wie er auch und auf seinen Lehrgängen seinen Spitzenkräften den letzten Schliff verleihe. Bentz: »Den kenne ich gut, der ist oft hier, der ist ganz begeistert von ›Block und Blei‹.« Als Prof. Höhn einmal den »Musterbetrieb« von Bentz inspizierte, meinte er, daß sich hier innerhalb von anderthalb Jahren nach seinen Wirtschaftsführungsprinzipien das Werk zur Höchstproduktivität organisieren lasse.

Bentz verblüffte den Wirtschaftsspezialisten mit der Feststellung, das Plansoll nicht erst in anderthalb Jahren, vielmehr »in bewährtem Melittatempo bereits in einem halben Jahr« erfüllt zu haben.

Aus dem Schulungsprogramm des Prof. Höhn: »Großunternehmen lassen sich durchaus mit Armeekorps, mittlere Unternehmen mit Bataillonen vergleichen. Da sowohl der militärische wie auch der wirtschaftliche Führer mit einem Gegner zu tun hat, dort der Feind, hier die Konkurrenz, treten stets Umstände und Gegenzüge des Gegners auf, die nicht vorauszuberechnen sind.«

Höhn, im Dritten Reich Berater von Heinrich Himmler, als Generalleutnant der Waffen-SS mit dem Ehrendegen des Reichsführers-SS ausgezeichnet, bekannte noch im Jahre 1944 in der Goebbels-Wochenzeitung »Das Reich«: »Der Eid auf den Führer verpflichtet nicht nur zu Lebzeiten des Führers, sondern über dessen Tod hinaus zu Treue und Gehorsam gegenüber dem neuen, von der Bewegung gestellten Führer . . .«

Bentz eigene Vergangenheit wurzelt gleichfalls in dieser Zeit: er war Obersturmbannführer der SS, sein Betrieb wurde im Dritten Reich als besonders stramm und vorbildlich mit der goldenen Fahne ausgezeichnet. Er führte Rüstungsaufträge aus, u. a. Teile von Gasmaskenfiltern, Teile von Patronenkästen und Maschinengewehrgurte und er beschäftigte Polen und Russen als Zwangsarbeiter. Nachdem er nach 2 1/2 Jahren aus dem Internierungslager der Engländer entlassen wurde, konnte er erst 1958 wieder seine Firma übernehmen.

Wie Prof. Höhn, legte auch Bentz sich in jener Zeit mit Treueschwüren auf das faschistische System fest: »Führer, wir gehören Dir!« (»Melitta-Echo«, 1941)

»Mit dem Gelöbnis, unseren Betrieb dem Führer zur Verfügung zu stellen, schloß Herr Horst Bentz seine Festrede.« (»Melitta-Echo«, 1939)

Am 1. Mai 1941 wurde ihm von den Parteispitzen die damals begehrte Auszeichnung »Nationalsozialistischer Musterbetrieb« verliehen, die zuvor im Gau Westfalen-Nord nur die Oetker-Werke »für sich buchen« konnten. Mit dem »Melitta-Lied« auf den Lippen: »Gleicher Sinn bringt Gewinn, überwindet auch den schlimmsten Berg, Einigkeit alle Zeit, Heil Melitta-Werk« wurde die mit diesem Prädikat verbundene »Goldene Fahne« im Triumphzug von Augsburg ins Mindener Werk heimgeführt. »Sauber ausgerichtet, stand die Gefolgschaft am Bahnhof, um die Goldene Fahne zu empfangen. Einige zackige Kommandos unseres Betriebsführers (Horst Bentz), die jedem alten Soldaten alle Ehre gemacht hätten, und mit Schingbumm ging's durch die Stadt.« (»Melitta-Echo«, 1941)

In jener Zeit war es Betriebsführer Bentz vergönnt, an der unternehmerischen Heimatfront zwei weitere Betriebe zu erobern: eine Keramikfabrik in Karlsbad und eine Papierfabrik in Düren.

Mit nazistischen Haß- und Hetzparolen sollte die damalige Melitta-Werkszeitung die Gefolgschaft auf Vordermann bringen. Das Betriebskampfblatt von Bentz beschränkte sich keineswegs auf die betrieblichen Belange. Da war der Aufmacher auf Seite 1 den »armen Juden« gewidmet: ». . . in der Judenfrage hat das Herz zu schweigen! Auch das zieht nicht, wenn man uns sagt: denkt an die armen Kinder. Jeder Judenlümmel wird einmal ein ausgewachsener Jude . . .« (»Melitta-Echo«, 1938). Da ist von »Judengesocks« und »Bestien« die Rede, und auf dem Betriebsappell am 5. 7. 1938 läßt es sich Horst Bentz nicht nehmen, noch vor der »Reichskristallnacht« zum Boykott jüdischer Geschäfte aufzurufen: »Über die Judenfrage heute noch sprechen zu müssen, erscheint überflüssig und ist es doch nicht. Wir haben neulich eine Arbeitskameradin erwischt, als sie ein jüdisches Geschäft betrat. Sie erzählte uns nachher, daß sie lediglich eine dort beschäftigte Verkäuferin besucht habe. Ob das stimmt, ist leider nicht nachprüfbar. In Werkszeitung Nr. 5 dieses Jahres haben wir bekannt gemacht, daß jeder, der beim Juden kauft, fristlos entlassen wird. Der vorerwähnte Fall macht es erforderlich, die Grenzen enger zu ziehen. Wer künftig überhaupt noch in jüdischen Geschäften gesehen wird, einerlei ob er kauft oder nicht, gehört nicht zu uns und muß fristlos entlassen werden.«

In der Melitta-Werkszeitung Nr. 5: »Damit keiner kommen kann, er habe nicht gewußt usw., führen wir nachstehend alle Juden in Minden, die ein Geschäft ausüben, auf.« Es folgen 30 Namen, mit Berufsangabe und genauer Anschrift. – Von den 30 Genannten hat keiner das Dritte Reich überlebt.

Bentz heute zu dem Vorwurf, er habe neben seinen SS-Leuten auch einen Kriegsverbrecher auf Abteilungsleiterebene bei sich beschäftigt (Bentz): »Der ist begnadigt worden, sonst wäre er gehängt worden in Landsberg . . . ich habe immer, nicht nur in diesem Fall, früher Dutzende, da gibt es sogar so eine Organisation, die Leute, die straffällig geworden sind, vermittelt. Und ich habe Dutzende von diesen Leuten im Hause eingestellt, ich habe also immer doch die Tendenz gehabt, zu helfen.«

Nach dem Leitspruch »Führer befiehl, wir folgen« wurde von jeher bei Bentz gehandelt. So wie in den 50er Jahren die »Gefolgschaft« auf eine Verärgerung von Bentz hin geschlossen aus der Gewerkschaft austrat und man die Mitgliedsbücher widerstandslos dem Betriebsrat (seitdem »Geschäftsrat« genannt) aushändigte, trat in den 30er Jahren die damalige »Gefolgschaft« auf Geheiß des Betriebsführers und SS-Sturmmannes Bentz einer anderen Organisation bei: der NSDAP. Eintrittsgebühren und Mitgliedsbeiträge für die bis dahin noch Parteilosen zahlte Bentz aus eigener Tasche. Der Bleischneider Otto Haar, der sich der damaligen Anweisung widersetzte, mußte die Konsequenzen ziehen und den Betrieb verlassen.

Der Pensionär K. H., damals Schriftsetzer bei Bentz und überzeugter Sozialdemokrat, unterwarf sich seinerzeit dem Bentz-Diktat: »Wir als Drucker, von der Tradition her links, waren ohnehin damals bei Bentz als schwarze Schafe verschrieen und bekamen darum auch 2 Pfennig unter Tarif bezahlt. Stellen Sie sich vor, Sie müssen für Ihre Familie das

Geld reinbringen und bekommen dann derartig die Pistole auf die Brust gesetzt.«

Daß der NS-Geist bei »Melitta« keine Ausnahmeerscheinung ist, sondern durchaus üblich in der bundesdeutschen Industrie, kann man auch der Einschätzung des bekannten Industrieberaters M. Schubart entnehmen: »Ich kann natürlich keine Namen nennen . . . Aber ich habe ein paar Elitegruppen festgestellt, die tatsächlich – zwar unsichtbar, aber doch evident – bis in die heutige Zeit hinein existieren. Da ist einmal die Mars-Merkur-Gruppe der ehemaligen Generalstäbler, die heute zum Teil führende Rollen in der Wirtschaft spielen. Dann Abkömmlinge der Adolf-Hitler-Schulen, der Reiter-SS und der Waffen-SS. Ich würde sagen, in der Altersgruppe von 45–60 stammen 65–70 Prozent aller heutigen Führungskräfte aus solchen Organisationen. Und die überwiegende Zahl – sagen wir 98 % – jener Altersgruppe stammt aus einer Erziehung, die eigentlich im Dritten Reich ihre Grundlage findet.«

Als der Alterspräsident des Bundestages William Borm (FDP) die Öffentlichkeit erstmalig über Finanziers und Hintermänner der neuen rechten Sammlungsbewegung »NLA« informierte und sich auf in seinem Besitz befindliche Dokumente berief, war unter anderem von einem bekannten Mindener Kaffee-Filterproduzenten die Rede.

Als dann die »Monitor«-Fernsehsendung, wie zuvor schon Zeitungen, den Verdacht aussprach, Bentz habe der »NLA« 140 000 DM gespendet und gehöre ihr als Vorstandsmitglied an – MONITOR: ». . . Diese Behauptung stützt sich auf die in Bild und Ton festgehaltenen Aussagen des Notars Franz Mader. Mader ist NLA-Bundesvorstandsmitglied und Landtagsabgeordneter. Er hat seine Erklärung abgegeben in Gegenwart des Landtagsabgeordneten Wilhelm Maas«, – ihm außerdem unsoziales Verhalten und Unterdrückung jeder gewerkschaftlichen Betätigung im Betrieb vorwarf, fürchtete Bentz eine Beeinträchtigung seiner Geschäfte. Ehemals gute Kunden stornierten Aufträge, so die Kantinen der Dürrkoppwerke in Bielefeld und der Städtischen Betriebe in Berlin. Helmut Brade, Betriebsrat der Berliner Stadtreinigung: »Bislang haben wir bei ›Melitta‹ für 500 000 DM Kaffee und Filter gekauft. Das ist nun vorbei.«

Bei »Monitor« bekundeten Hunderte Fernsehzuschauer in

Zuschriften, daß sie von jetzt an keine Artikel dieses Unternehmens mehr zu kaufen gedächten, und Bentz erhielt nach eigenen Angaben Tausende Briefe, in denen ihm Verbraucher das gleiche mitteilten.

Bentz schritt zur Tat.

Im Wissen, daß die Öffentlichkeit nicht über die besondere Funktion oder besser Funktionslosigkeit seines Betriebsrats informiert sein würde, ließ er ihn dafür herhalten, in einer großangelegten Anzeigenkampagne die angeblich »unwahren Behauptungen von ›Monitor‹ richtigzustellen.« Die 350 000 DM, die die ganzseitigen Anzeigen – u. a. in »Bild« – kosteten, zahlte Bentz.

Bereits anläßlich früherer Presseangriffe hatte Bentz gedroht »zurückzuschlagen«, sobald damit eine »wirtschaftliche Schädigung unserer Werke« verbunden sein sollte. Dieser Zeitpunkt schien gekommen. Mit seinen Rechtsberatern machte er sich zum WDR auf, konferierte mit Fernsehdirektor Scholl-Latour und Monitor-Chef Casdorff und drohte mit einem Schadenersatzprozeß, der in die Millionen gehen könne. Die »Monitor-Redaktion«, die bereits eine neue »Melitta«-Sendung fast sendefertig hatte (u. a. sollten wegen gewerkschaftlicher Betätigung mit Repressalien bedrohte ehemalige Belegschaftmitglieder zu Wort kommen), wurde durch den prozeßentschlossenen Milliardär in die Knie gezwungen.

Ein neuer Beitrag fiel unter den Tisch, dafür durfte sich Bentz in der folgenden »Monitor«-Sendung lang und breit auslassen, er hatte das letzte Wort und pries sich so sehr, daß sich am nächsten Tag im Betrieb sogar sonst treu ergebene Melittaner kritisch über ihren Chef äußerten: sie hätten sich bei seiner Gegendarstellung des Eindrucks nicht erwehren können, daß Bentz manches selbst nicht geglaubt hätte und es ihm peinlich gewesen sei, was er da verzapft habe.

Auf einer Belegschaftsversammlung in seinem Betrieb hörte es sich einige Nuancen anders an. Angestellte hatten erklärt: »Wir sorgen uns um den Betrieb. Denn die Abbestellungen häufen sich«, und verlangten Einsicht in die Geschäftsbücher, was Bentz empört zurückwies. Bentz: »Und wenn ich in der ›NLA‹ bin! Wenn sich Rosenthal in einer bestimmten politischen Richtung engagiert, so kann ich mich genausogut in einer anderen politischen Richtung betätigen.«

Und er betätigt sich; zumindest über Geschäftsbeziehungen hält er Kontakt zu NLA-Kreisen.

Als ich auf gut Glück bei der Papierfabrik Anton Beyer in Lippborn als »Melitta-Bestellabteilung« anrufe, erfahre ich: Seit langem bestehen engste Geschäftsbeziehungen. Beyer-Bestellabteilung: »Wir haben doch von Ihnen eine Subvention laufen. 20 Millionen Hauptseiten bei Tragetaschen. Außerdem steht ja jetzt noch der neue Auftrag von 300 000 Tragetaschen für Ihren eigenen Gebrauch zur Auslieferung an.« – Papierfabrikant Beyer hatte bekanntlich kürzlich den Bundestagsabgeordneten Fritz Geldner mit zwei sogenannten Beraterverträgen in Höhe von 400 000 DM von der FDP in die CSU abzuwerben versucht. Damals zweifelte man allgemein daran, daß der verhältnismäßig kleine Unternehmer diese Summe so ohne weiteres aus der eigenen Tasche zu zahlen in der Lage war. Hier könnte Bentz, dessen Konzerngruppe zu den 100 größten der Bundesrepublik zählt, durch Subventionen oder fingierte Aufträge z. B. sich als indirekter Spender erwiesen haben. Es ist kaum zu vermuten, daß diese Geschäftsbeziehung eine rein zufällige ist, es gibt Hunderte von Papierherstellern in der Bundesrepublik.

Auch Werbeagenturen gibt es zahlreiche. Ist es auch ein Zufall, daß Horst Bentz mit der »Interpunkt«-Werbeagentur des ehemaligen SS-Hauptsturmbannführers und jetzigen NLA-Vorsitzenden Siegfried Zoglmann gute Geschäftsbeziehungen pflegt und ihn seinen »Freund« nennt?

Bentz bestritt in der »Monitor«-Sendung mit der Maske eines Biedermannes, daß in seinem Betrieb jemals ein Gewerkschaftler mit Repressalien bedroht worden sei. »Wenn das wirklich wahr wäre, dann habe ich eine Frage: Warum hat die Gewerkschaft bis heute nicht einen einzigen Namen genannt . . .«

Die Betriebswirklichkeit bei »Melitta« sieht so aus: »Seien Sie ja vorsichtig, wir überwachen Sie!« hatte Prokurist Herziger dem Mustermacher Günter Bender angedroht. »Sie sind mir kein Unbekannter mehr und schon das dritte Mal bei mir«, herrschte Betriebsleiter Runte den Mustermacher an, weil der sich über eine Lohneinbuße beklagte, die ihm durch eine seiner Meinung nach schikanöse Versetzung ohne Änderungskündigung entstanden war.

Gewerkschafter Bender kündigte: »Es war mir klargeworden, daß meine Einstellung zur Gewerkschaft nicht in das Konzept dieser Herren paßte und man es darauf anlegte, mich fertigzumachen.«

Ohne Änderungskündigung wurde auch der Drucker Bauer versetzt. Lohneinbuße je Stunde: 40 Pfennig. Bauer war Vertrauensmann für die Gewerkschaft und Werber für seine Organisation. Er und sein Kollege Rüdiger Schellhase zogen die Konsequenzen und kündigten: »Uns war klar, daß wir um jeden Preis diszipliniert werden sollten.«

Gewerkschafter Fischer wurde von seinem Abteilungsleiter Schmidt sogar mit körperlicher Gewalt aus dem Betrieb entfernt. Der Arzt bescheinigte ihm Kratzwunden, die ihm von seinem Vorgesetzten beigebracht worden seien. Dreher Fischer: »Seit ich auf einer Gewerkschaftsversammlung war, wo die Firmenleitung wahrscheinlich Spitzel hin entsandt hatte, war es um mich geschehen. Ich konnte mir noch so Mühe geben, habe täglich von morgens 7 bis abends 5 nach 6 gearbeitet und jeden Samstag von 6 bis 20 vor 3, ich kam auf keinen grünen Zweig mehr. Kollegen, die neu waren und keine Überstunden machten, bekamen plötzlich 20 Pfennig mehr in der Stunde. Als die Gewerkschaft vor dem Tor Flugblätter verteilte, habe ich dann noch mal den Fehler gemacht, dem Bezirksvorsitzenden, der mitverteilte, die Hand zu geben, und das hatte die Betriebsleitung beobachtet. Obwohl ich später, wenn noch mal Aktionen der Gewerkschaft stattfanden, immer bewußt in entgegengesetzter Richtung ging, war ich bekannt wie ein bunter Hund. Ich hatte zuvor schon einen Warnbrief vom Abteilungsleiter bekommen, ich sei ein Störenfried und mache mir laufend Notizen; und zu guter Letzt kam's so, daß mich Abteilungsleiter Schmidt in den Klammergriff nahm und mich anschrie, sofort diesen Laden zu verlassen.

Als er mich zum Ausgang hinzerrte, taten sich noch einige ›Kollegen‹ bei ihm dicke, indem sie mir ›Verräter‹ und ›Lump‹ nachschrien. Ich wollte von der Pförtnerei wegen des tätlichen Angriffs die Polizei anrufen, aber der Abteilungsleiter Schmidt war ständig hinter mir, hat mir den Telefonhörer aus der Hand gerissen und gesagt: ›da müssen Sie schon zu Fuß hingehen‹.«

»Man kann nur hoffen, daß diese ungerechtfertigten Angriffe nicht von anderer Seite unterstützt werden und daß man uns endlich wieder unseren Betriebsfrieden läßt, der 40 Jahre lang niemals gestört war.«

(Horst Bentz: »Dank zum Jahresende« »Rund um Melitta«, Dez. 70)

Im Werk selbst ist es kaum möglich, mit Arbeitern über die Firma zu sprechen. Sie blicken sich um, ob auch keiner zuhört, und wenn überhaupt, sprechen sie nur, wenn kein anderer Kollege in der Nähe ist. Einer scheint im anderen einen potentiellen Spitzel der Firmenleitung zu sehen. Einige sagen das auch offen: »Du kannst hier nie genau wissen, wo du bei wem dran bist.«

Nach zweimonatiger Zugehörigkeit zur Melitta-Belegschaft wird mein Name plötzlich über Lautsprecher ausgerufen: »Herr G. zur Sozialabteilung.«

In der Sozialabteilung erwartet mich eine Art Firmengericht. Die Cousine von Horst Bentz, Frau Melitta Feistkorn, Leiterin der Sozialabteilung, blickt mißbilligend zu mir herüber. Herr Ostermeyer, der mich einstellte, sitzt mit in der Runde, ein noch Jüngerer im grauen Kittel blättert gelangweilt in einem Büchlein, das die Aufschrift »Betriebsverfassungsgesetz« hat. Ein graues, gewitztes Männlein mit scharfer, befehlsgewohnter Stimme fordert mich mit einer Handbewegung auf, mich auf den noch freien, von den anderen etwas entfernt stehenden Stuhl zu setzen. Dann wendet er sich an die versammelte Runde: »Jetzt werde ich Ihnen das mal vorführen.« Und er beginnt eine Art Verhör. Keiner hat sich mir vorgestellt, das scheint hier so üblich zu sein, Standgericht.

Der kleine Graue, Betriebsleiter Runte, wie ich später erfahre, leitet die Vernehmung. Er wirft mir Disziplinlosigkeit und fehlende Arbeitsmoral vor. Ich hatte gewagt, mir einige Tage unbezahlten Urlaub zu nehmen. Zwei Tage war ich krank und lag mit Fieber im Bett, ließ mich jedoch nicht krankschreiben, sondern zog es vor, den das Werk nicht belastenden unbezahlten Urlaub zu nehmen. Kollegen hatten mir dazu geraten, da »Krankfeiern« auch mit ärztlichem Attest in der Probezeit Entlassung bedeuten würde. Einige Tage hatte ich mir freigenommen, indem ich einen Umzug von Köln nach Minden vorschob, verbunden mit Wohnungsrenovierung. Die direkten Vorgesetzten, zwei

Schichtführer, hatten Verständnis und bewilligten das Fehlen unter Verzicht auf Bezahlung. Betriebsleiter Runte, dessen Aufgabe es ist, alle Belange des Betriebs pedantisch wahrzunehmen, schien den entgangenen Mehrwert meiner dem Werk vorenthaltenen Arbeitsleistung als eine Art Diebstahl zu empfinden. Er sagte, schon aus Abschreckungsgründen den anderen Kollegen gegenüber sei ich für das Werk ab sofort untragbar. Ich sei ein Bummelant, wer schon so anfange, was sei dann erst später von dem zu erwarten. Als ich mich zu rechtfertigen versuche, gerade der Anfang, die Umstellung, verbunden mit dem Umzug und Wohnungswechsel, müsse in einem Betrieb, der sich »sozial« nenne, doch Verständnis hervorrufen, werde ich ausgelacht. Herr Runte ist nicht umzustimmen; er nimmt meine Argumente lediglich als Bestätigung seines einmal gefaßten Entschlusses auf.

Routinemäßig stellt er an den Mann mit dem kleinen Büchlein, der während des ganzen Verhörs nicht ein Wort gesagt hat, – und der Betriebsratsvorsitzender Sinock ist, wie ich nach meinem Rausschmiß erfahre – die Frage: »Von hier noch Einwände?« Wie abwesend antwortete der Betriebsratsvorsitzende mit einer verneinenden Kopfbewegung.

Zuletzt sagt Herr Runte noch, man sei hier bei Melitta zwar hart, aber gerecht . . . Vor Weihnachten schmeiße man keinen auf die Straße. Also sei mein letzter Arbeitstag der 28. Ich hätte die Großzügigkeit dem Werk nicht gedankt, immerhin hätte ich doch auch sogar schon Weihnachtsgeld erhalten. Als ich das verneinte, tritt Herr Runte in Aktion. Er demonstriert allen die Macht seines Amtes, indem er den Leiter der Lohnabteilung über Telefon anbrüllt, was das für eine Schlamperei sei, die 50 Mark Weihnachtsgeld, die jedem zustünden, an mich noch nicht ausgezahlt zu haben. »Händigen Sie das dem Mann zustehende Geld sofort aus«, brüllt er in den Hörer. Und Meister Ostermeyer erhält den Befehl, mich zur ordnungsgemäßen Auszahlung zu begleiten. »Sehen Sie, so sind wir hier, selbst das Weihnachtsgeld zahlen wir Ihnen noch«, sagt Runte vorwurfsvoll. Ich bin sehr verunsichert, beinah gerührt und komme nicht umhin, mich bei ihm zu bedanken. Um so erstaunter bin ich, als ich bei Empfang der Endabrechnung die 50 Mark wieder abgezogen finde.

Für Betriebsleiter Runte war es eine Demonstration seiner Macht und was nicht nur für Melitta gilt: Gnade ist kein Recht!

»Natürlich kann die Stadt stolz darauf sein, daß die ›Melitta‹-Erzeugnisse den Namen Mindens in alle Welt hinausgetragen haben und täglich hinaustragen. Sicher ist es ein wesentlicher Faktor für die Volkstümlichkeit von Melitta, daß heute 3600 Menschen der über 8000 Belegschaftsmitglieder in Stadt und Land Minden zu Hause sind! Rechnet man die Familienangehörigen dazu, dann ergibt sich, daß rund ein Viertel der Bevölkerung Mindens in direktem Kontakt zu dem Melitta-Werk steht.«

(Aus der Melitta-Werbeschrift: »Minden und die Melitta-Werke«)

»Sagen Sie um Gottes willen keinem, daß ich Ihnen Auskünfte über Herrn Bentz gegeben habe, ich wäre hier für immer erledigt.«

(Ein führendes Mindener SPD-Mitglied, Mitglied im Stadtrat. Die SPD ist die stärkste Partei Mindens.)

»Die Bude wird dichtgemacht«

»Das Sauerland gilt bei uns immer noch als ein bißchen hinterwäldlerisch. Dennoch werden hier große Leistungen vollbracht, die die Aufmerksamkeit der Öffentlichkeit verdienen. In Meinerzhagen steht das Stammwerk eines Unternehmens, das in Fachkreisen einen weltweiten Ruf genießt . . . dort wird ein Teil der Voraussetzungen für unsere moderne Zivilisation geschaffen: die Battenfeld Maschinenfabrik GmbH.

Das Unternehmen in seiner heutigen Größe ist das Werk eines Mannes: Werner Battenfeld. Er kann heute sein Unternehmen als den absolut größten Hersteller von Spritzgußmaschinen für Kunststoffe in der Welt bezeichnen. Betrug der Umsatz 1958 30 Millionen DM, so konnte Battenfeld 1965 mit allen Betrieben schon die 80-Millionen-Grenze als Produktionsumsatz erreichen.

Werner Battenfelds Methoden sind unorthodox . . . Mögen andere darüber lächeln, Battenfeld und nicht zuletzt der Kunde sind gut damit gefahren.

Vom Erfolg dieses Unternehmens profitieren nicht nur die Familie Battenfeld und die Angehörigen des Unternehmens, Nutznießerin ist auch die Stadt Meinerzhagen, der er als langjähriger Sportler mit einem 3/4-Millionen-Betrag beim Bau eines Sportstadions und der Mattenschanze geholfen hat.

Die Überschaubarkeit eines Unternehmens von ca. 1800 Beschäftigten verschafft dem Führungsstil Werner Battenfelds einen hohen Grad von Wirksamkeit.

Schlag auf Schlag baute Werner Battenfeld nach dem Kriege in Scherl bei Meinerzhagen, Gogarten, Dieringhausen, Engelskirchen, Overath, Siegburg, Zülpich, Feudingen und Rinteln neue Fertigungsbetriebe auf.

Wie er sich selbst nicht schont, so verlangt er auch von seinen Arbeitern und Angestellten einen überdurchschnittlichen Arbeitseinsatz.

Das Beispiel des dynamischen und wagemutigen Unternehmers Werner Battenfeld hat dazu beigetragen, in seiner bislang ungünstig strukturierten westfälischen Heimat eine positive Entwicklung einzuleiten.«

(Aus der »Vorwärts-Illustrierten«, SPD, Dez. 1967, einer ehemaligen Arbeiterzeitung).

Werner Battenfeld, 55, der sich mit einem Messingschild auf seinem Schreibtisch als »Big Boß« ausweist und mit einer Leuchtschrift auf dem Köln-Bonner-Flughafen seine Internationalität unterstreicht, hat sich noch anderweitig um Stadt und Land verdient gemacht. Vor Meinerzhagen ließ er einen Flugplatz anlegen: für seine 8 Privatflugzeuge – darunter eine zweistrahlige Düsenmaschine, mit der er seine Kontakte zu seinen ausländischen Zweigwerken in der Schweiz, Frankreich, Spanien, Niederlanden, England, USA, Australien und Brasilien aufrechterhält. Außerdem erteilt der spendable Multimillionär auf seinem Privat-Flugplatz auch Regierungsmaschinen Start- und Landeerlaubnis. Einen ehemaligen – steuerlich versierten – Amtsgerichtsrat seiner Stadt, Dr. Hepner, machte er zu seinem Rechtsberater und Prokuristen.

Battenfeld, u. a. noch Großaktionär bei der MÜWAG (Münchener Waggonbau-AG), hat seine Betriebe besonders leistungs- und profitintensiv ausgerichtet. Er, der von sich sagt, »sich nicht zu schonen« und vorgibt, »seit 1945 im Durchschnitt nicht mehr als 6 Stunden pro Nacht geschlafen zu haben«, verlangt, daß ihm seine Arbeiter darin nicht nachstehen. Um 7 Uhr, wenn die Sirene losheult, »will ich sehen, daß bereits voll gearbeitet wird und nicht erst die Werkzeuge ausgepackt werden.« Er zog sich Arbeiter heran, die seinen »Lebensstil« übernahmen und täglich 16 Stunden und mehr arbeiteten. Dadurch war es dem Unternehmer möglich, zu »rationalisieren«, indem er sich von Arbeitskräften, die überdurchschnittlich oft durch Krankheit ausfielen, trennte. Wer sich vor Überstunden drückte – die in der Regel ohne Zuschläge verrechnet wurden –, mußte mit Entlassung rechnen. Als der Arbeiter Krummbein sein Haus fertigbauen wollte, bevor der Winter ausbrach, wurde er entlassen. Anstatt Überstunden für Battenfeld zu machen, hatte er gewagt, an seinem eigenen Haus zu mauern.

Wenn's darauf ankommt, ist sich Battenfeld nicht zu schade, eigenhändig mit anzupacken. Als ihn ein Arbeiter auf die Gefährlichkeit seiner Arbeit aufmerksam machte, zeigte ihm Battenfeld, wie's gemacht wird. (Der Arbeiter, ein Spritzlackierer, hatte die fehlende Spritzkabine, die nach den Arbeitsschutzbestimmungen Vorschrift ist, beanstandet. Die Lackteilchen, die sehr gesundheitsschädlich sind, wurden von den anderen Arbeitern in der Halle miteingeatmet). Battenfeld: »Ihr müßt's so machen, daß es nicht nebelt«, und er hielt die Spritzpistole sehr dicht an das Maschinenteil, so daß der Lack zwar nicht mehr stäubte, dafür aber tropfte. Als Battenfeld sah, daß es so nicht ging, und der Arbeiter ans Gewerbeaufsichtsamt erinnerte, schickte Battenfeld ihn nach Hause und ordnete an: »Ich will euch tagsüber hier nicht mehr sehen, haut ab, ihr könnt ab sofort nachts spritzen!«

Wenn ihm ein Arbeitsvorgang zu langsam erscheint, zeigt Battenfeld, wie's schneller geht. Dem Arbeiter Mende, der den ganzen Tag Metallschnecken dreht – für eine braucht er durchschnittlich 30 Minuten Zeit –, demonstrierte er, wie man so ein Stück in 17 Minuten bewältigt, und setzte den Lohn nach seinem eigenen Rekord neu fest. Auf die Einwände des Arbeiters und seines Meisters, der dabeigestanden hatte, daß bei dieser Arbeit, wenn man sie den ganzen Tag mache, die Leistung automatisch abfalle, außerdem Erhol- und Toilettenpausen bei dieser Rechnung nicht berücksichtigt seien und der Arbeiter im übrigen zwei Maschinen gleichzeitig bedienen müsse, antwortete Battenfeld: »Dann ist's ja noch mehr Routine, dann kann man's in 12 Minuten schaffen.«

Als ein Arbeiter Battenfeld auf die ungenügende Heizung im Betrieb ansprach, erwiderte der: »Zieht euch einen Mantel an, dann ist es euch nicht zu kalt.«

Und auf die Forderung nach besserem Unfallschutz (der Kran war ungenügend abgesichert): »Macht die Reparatur selbst – nach Feierabend – oder stemmt halt die Lasten wie früher, mit dem Brecheisen hoch!«

Auf die Beschwerde von Arbeitern, daß ihr Lohn oft eine Woche und noch später auf dem Konto einträfe, sie hätten schließlich Familie und brauchten das Geld pünktlich, entgegnete Battenfeld: »Habe ich etwa die Kinder in die Welt gesetzt?«

Und auf die Überstundenregelung hin angesprochen: »Und wenn ich einen meiner Leute nachts aus dem Bett hole und ihm sage, er soll mir das Scheißhaus leermachen, so hat er das mit Freude zu tun.«

Auf der anderen Seite versucht Battenfeld seine »soziale« Seite hervorzukehren, wenn sie ihm von Nutzen scheint. Als er die Mühlenthaler Textil-Werke aufkaufte, versprach er den Arbeitern seiner übrigen Werke als Weihnachtsgratifikation Anzug- oder Mantelstoff im Wert von 100 DM.

Daß es dann allerdings nicht zu dieser unerwarteten »Gewinnausschüttung« kam, liegt nicht etwa an der Wortbrüchigkeit Battenfelds, sondern an der unverhofften Belebung der Konjunktur – die Stoffe wurde alle an den Kunden gebracht. Dafür gab's im nächsten Jahr ein Weihnachtsgeschenk in bar. Heiligabend, 18.30 Uhr, wurden Angestellte losgeschickt und überreichten im Auftrag Battenfelds bis zu 100 DM.

Ein alter Traum des Unternehmers ist sein »Battenfeldsches Leistungslohn-System«. Zur Zeit des Konjunkturrückgangs ersonnen, soll es den Arbeiter am Erfolg und Mißerfolg »seines« Unternehmens teilhaben lassen. Ein Durchschnittsverkauf wird als Norm gesetzt. »Für jede mehr gelieferte Maschine erhöht sich der Leistungszuschlag um 0,10 DM pro Stunde für alle Arbeiter. Für jede Maschine, die weniger geliefert wird, werden 0,10 DM an Leistungszuschlag pro Stunde für alle Arbeiter in Abzug gebracht«, heißt es in der Betriebsvereinbarung. Der Haken bei diesem System: »Bei schlechter Leistung einzelner Belegschaftsmitglieder, unsauberem Arbeiten, zu langsamem Arbeiten sowie Fehlern, die auf Liederlichkeit oder Interesselosigkeit zurückzuführen sind, hat der Betriebsleiter das Recht, die Leistungsprozente, der jeweiligen Produktion angemessen, zu kürzen.«

Battenfeld ist für straffe Ordnung und Reglementierung in seinen Betrieben. Er will allein bestimmen und persönlich erkennen, wie der Betrieb läuft. Er, der Impresario des Ganzen, macht sich den Betrieb untertan, er will bei seinen Betriebsinspektionen sehen, wen er jeweils vor sich hat. Wie er seine Arbeitspläne an den Wänden seines Büros mit bunten Nadeln generalstabsmäßig abgesteckt hat, so hat er auch seine Arbeitskräfte farblich voneinander abgesetzt. Er ließ es sich was kosten und schaffte verschiedenfarbige Arbeitsanzüge an. Grün waren die Schlosser, braun die Elektriker, die Maschinisten blau, gelb die Blechschlosser und schwarz die Schwerarbeiter.

Battenfeld, Prototyp des »freien Unternehmers«, hatte es bisher immer geschafft, seinen Führungsstil nach eigenem Dafürhalten durchzusetzen. »In meinem Betrieb kann ich tun und lassen, was ich will.« – »Über die Löhne bestimme ich allein.« – »Je mehr Schwierigkeiten man mir macht, um so härter greife ich durch.« – Bisher hatte man ihm wenig Schwierigkeiten gemacht, sein Betriebsratsvorsitzender, sein »väterlicher Freund«, der bereits 10 Jahre im Amt ist und gleichzeitig die Stelle eines »Betriebsleiters« einnimmt – was nach dem Betriebsverfassungsgesetz nicht möglich ist –, hatte dafür gesorgt. Dieser Betriebsratsvorsitzende – Hönig mit Namen – hat sich selbst – eingedenk der nationalsozialistischen Zeiten – den Rang eines »Generalobmanns« verliehen. Im 3. Reich noch auf dem Posten eines »Betriebsobmanns« im »Bochumer Verein«, hatte er sich damals schon die Verhaltensweisen angeeignet, die ihn heute für Battenfeld so brauchbar machen. »Unser Schaffen gilt dem Sieg!« hatte der damalige Betriebsobmann in der Werkszeitung des »Bochumer Vereins« verkündet, und »der Soldat ist uns das beste Vorbild. Unsere arbeitenden Menschen sind eine Armee kriegswirtschaftlicher Soldaten geworden«, und »Höchstleistung ist heute für jeden schaffenden Deutschen eine Notwendigkeit« und in seinem Aufsatz »Über den Umgang deutscher Menschen mit Ausländern«: »Unser Verhalten dem Ausländer gegenüber ist in erster Linie danach einzurichten, ob es dazu beiträgt, den Krieg schneller zu gewinnen.«

Mit seinem »Generalobmann« hatte Battenfeld nie Schwierigkeiten. Anders wurde es schon, als Battenfeld die »Mühlenthaler-Textilwerke AG.« seinem Besitz einverleibte. Dort gab es einen noch unabhängigen Betriebsrat, der gebremst werden mußte. Durch Aushang am Schwarzen Brett und durch Rundschreiben sollte der übernommene Betriebsrat vor allen Arbeitern gemaßregelt und in Schranken verwiesen werden:

»Werte Mitarbeiterinnen, werte Mitarbeiter! Viele Mitarbeiter unseres Betriebes haben begriffen, worauf es ankommt. Andere dagegen, die auf Grund ihrer Stellung häufig mit uns über die gemeinsamen Sorgen sprechen können,

wollen uns nicht verstehen und glauben, in fast kindlichem Trotz der Geschäftsleitung Schwierigkeiten bereiten zu müssen. So hat sich vor allem die Zusammenarbeit mit unserem Betriebsratsvorsitzenden, Herrn Schulz, infolge verschiedener Vorkommnisse in letzter Zeit sehr verschlechtert, so daß eine gute Zusammenarbeit leider in Frage gestellt ist . . . Sie wissen alle, daß wir Herrn Battenfeld zu Dank verpflichtet sind, da er unser Unternehmen durch sein Eingreifen vor dem sicheren Konkurs gerettet hat . . . Glauben Sie bitte, daß Herr Battenfeld allen Schwarzsehern zum Trotz bisher fest entschlossen war, uns ›Textilern‹ durch seine Hilfe den Arbeitsplatz zu sichern. Zwingen Sie Herrn Battenfeld durch Ihr Verhalten nicht, seinen Standpunkt zu revidieren. Seine Konsequenzen könnten für uns alle sehr nachteilig sein. Machen Sie sich bitte einmal Gedanken über unsere ernstgemeinten Worte und lassen Sie sich nicht durch schlechte Ratgeber verführen. Wir werden in diesem Jahr wieder große Aufträge zu erledigen haben.«

Weitaus ärgerlicher noch wurde es für Battenfeld, als sich in einem seiner Stammwerke, dem Zweigwerk Dieringhausen, Tendenzen breitmachten, die er bisher nicht für möglich gehalten hatte. Dort hatte sich – außer Kontrolle des Generalobmanns Hönig – ein Betriebsrat gebildet, der es wagte, den Anordnungen Battenfelds mit eigenen Vorstellungen entgegenzutreten.

Als Battenfeld die Löhne in diesem Betrieb – auf Grund seines neuen Lohnsystems – um mehr als 1 DM pro Stunde senken wollte, protestierte dieser Betriebsrat dagegen. Battenfeld: »Ihr könnt beschließen, was ihr wollt, ich mache, was ich will«, und als aufs Betriebsverfassungsgesetz verwiesen wurde: »Das Gesetz geht mich gar nichts an.« – »Wann Betriebsversammlungen stattfinden, bestimme ich. Und wenn, nur nach der Arbeitszeit. Wenn euch das nicht paßt, dann schmeiß ich euch raus. Wer den Betriebsfrieden stört, mit dem kann ich nicht zusammenarbeiten«, und schließlich: »Es würde mir gar nichts ausmachen, einen Betrieb, wo der Wurm drinsteckt, zu schließen und ihn im Ausland, meinetwegen im Busch wieder aufzumachen, wo noch pariert wird.«

Als der Betriebsrat seine Sitzungen weiter durchführte, die er nach dem Gesetz ohne Zustimmung des Firmeninhabers durchführen kann, ließ Battenfeld Großalarm geben. 12.15 Uhr, in der Mittagspause heulten die Werksirenen Katastrophenalarm. Seine anrückenden Arbeiter empfing Battenfeld mit den Worten: »Nun wollen wir mal die Spreu vom Weizen trennen. Der Betriebsrat hinter mich. Ihr habt jetzt nichts zu sagen. Ihr habt den Mund zu halten.« Zur Belegschaft gewandt: »Wer eine Beschwerde hat, rechts heraus, die anderen links heraus.«

Battenfeld: »Wer hier nicht pariert, fliegt raus.« Zwei Wochen später setzte er seine Drohung in die Tat um. Seinen 5 unbequemen Betriebsratsmitgliedern kündigte er fristlos. Auf Grund einer Entscheidung des Arbeitsgerichts mußte er sie wieder einstellen. Daraufhin stellt Battenfeld Antrag auf Massenentlassung. »Die Bude wird dichtgemacht!« Angeblicher Grund: »Unrentabilität«, obwohl im Dieringhausener Zweigwerk Aufträge für 4 Monate vorliegen, die Umsätze steigende Tendenz aufweisen, ständig Überstunden gefahren werden und, so Battenfeld in einem Brief ein paar Monate vor seinem Entschluß, »die anderen Zweigwerke keineswegs so ausgelastet sind wie bisher Dieringhausen«.

Battenfelds Beauftragter Hönig: »Es geht alles um ein paar Schreier«, und Betriebsleiter Medgenberg: »Wenn die fünf Mann vom Betriebsrat raus sind, dann kann alles weiterlaufen.«

Die Behörden geben dem Massenentlassungsantrag Battenfelds statt, obwohl Landesarbeitsminister Lauscher versucht »hatte, etwas dagegen zu unternehmen«. Die 80 betroffenen Arbeiter hissen schwarze Fahnen am Fabrikschornstein und ziehen in einem Schweigemarsch vors Hauptgebäude und vor die Villa des Fabrikanten, der sich nicht blicken läßt, aber es nützt ihnen nichts, »der Laden wird dichtgemacht«. Noch am letzten Tag halten sie den Haupteingang blockiert, um ihren Restlohn zu bekommen, und lassen Firmenlaster, die die Maschinen abtransportieren sollen, nicht durch. Worauf sich Battenfeld entschließt, ihnen den Restlohn auszuzahlen.

Battenfeld, um sein Image besorgt, gab für 22 000 DM einen Artikel in der »Vorwärts-Illustrierten« in Auftrag (s. Artikel Anfang), in dem es weiter heißt:

»*Battenfeld, der stets darum bemüht ist, die einfachste,*

rationellste Lösung zu finden ... Es wird viele geben, die seinen patriarchalischen Stil kritisieren, aber daß er erfolgreich ist ...« Und schließlich noch mal: »Erfolg gab ihm recht.«

1 Jahr nach der Aussperrung der Arbeiter, warten immer noch 30 Ehemalige von Battenfeld auf ihre Abfindungssummen bis zu je 2000 DM, die ihnen laut Gerichtsbeschluß zustehen. Battenfeld läßt sich das, was er sein Recht nennt, etwas kosten. Er will nicht zahlen, will bis vors Bundesarbeitsgericht gehen, das kann noch Jahre dauern.

Inzwischen, ein Jahr nach der Betriebsschließung – der unbequeme Betriebsrat und die mit ihm sympathisierende Belegschaft mußten neue Stellen antreten, oft unter Schwierigkeiten und unter Preis: »Was, Sie gehören zu den Gekündigten von Battenfeld, eigentlich brauchen wir ja keinen« –, hat Battenfeld im Oberbergischen Anzeiger bekanntgegeben, daß er die Produktion im Zweigwerk Dieringhausen wieder aufzunehmen gedenkt. Meldung vom 16. 10. 1968:

»Die Meinerzhagener Maschinenfabrik Battenfeld wird wieder in Dieringhausen produzieren. In geringem Umfang ist bereits wieder mit der Arbeit begonnen worden. Dieringhausen soll eine Nebenabteilung des Werkes Meinerzhagen bleiben. Der Firmeninhaber bestätigte uns, daß ein Hubschrauberlandeplatz in Dieringhausen gebaut werden soll.«

»Das Gesetz bin ich«

Man habe es weder ihm an der Wiege gesungen, daß er einmal Bundeskanzler werden würde, noch habe sich voraussehen lassen, daß Kurt Wokan einmal Glasfabrikant sein werde, sagte Alt-Bundeskanzler Prof. Ludwig Erhard anläßlich eines Besuchs und einer Besichtigung der Werksanlagen der INGRIDHÜTTE Kurt Wokan, Glasfabrik, Euskirchen. Beide, sagte Erhard, hätten den Marschallstab in ihrem Tornister zu finden und zu benutzen gewußt. Solche Sätze liest man in der Broschüre »Erfolg mit Glas. Kurt Wokan's Konzeption«, die über den steilen Aufstieg des westdeutschen Glasfabrikanten Kurt Wokan berichtet. Und weiter:

»Mit nur 10 000 DM Barkapital und 30 Mitarbeitern nahm der junge Firmenchef in alten abbruchreifen Gebäuden die Produktion farbiger Likörgläser auf. Dank glücklicher Hand bei der Auswahl befähigter Mitarbeiter und sicheren Spürsinns für Marktbedürfnisse . . .

Angetrieben von nie erlahmender Energie, Ideenreichtum und unerschütterlichem Erfolgswillen, setzte sich Kurt Wokan zum Ziel, seine Ingrid-Hütte, entgegen manchen anderslautenden Prognosen der Konkurrenz (mit neuen, teilweise revolutionären Methoden) zu einem modernen, leistungsstarken Produktionsbetrieb der Hohlglasindustrie auszubauen.« (*»Erfolg mit Glas. Kurt Wokan's Konzeption.«*)

1956 – der vormalige Besitzer war gerade in Konkurs gegangen, die Belegschaft führte die Hütte im Kollektiv weiter – erkannte Wokan als durchreisender Vertreter, »hier fehlt der starke Mann an der Spitze«, und nahm sich des Projekts an. Und es gedieh. Heute, kann Wokan mit Stolz von sich sagen, stehe er beinah konkurrenzlos da in der Branche.

500 Arbeiter – 80 Prozent Ausländer –, in Gang gehalten von Kurt Wokan und seiner 10köpfigen Führungsspitze. Er, der Schwiegersohn des ehemaligen Gauleiters und Reichsstatthalters im Sudetenland, Konrad Henlein, zusammen mit dem Sohn von Karl Hermann Frank, dem Stellvertreter Henleins, beide hingerichtet 1946 in Prag. Hieraus schlie-

ßen zu wollen, Wokan sei Neonazi, wäre bösartig und töricht zugleich. Er, Wokan, findet seine Interessen weitaus eher von der CDU als von der NPD vertreten, und nicht allein seine Freundschaft mit Erhard bezeugt das. Bereits von Thaddens Ausländerfeindlichkeit, die so weit gehe, daß er die Bundesrepublik von ausländischen Arbeitskräften freihalten wolle, mache ihm diese Partei suspekt. Außerdem: »Die NPD ist mir zu lasch.«

Er, Wokan, ist gut auf die Ausländer zu sprechen. Er holt sie scharenweise zu sich. Vornehmlich aus unterentwickelten Gebieten, vor allem Frauen, viele Analphabeten darunter. Er zahlt ihnen bis zu 2,30 DM Spitzenlohn brutto, »eine geradezu fürstliche Entlohnung« für sie, meint Wokan. Im übrigen: »Die meisten Gastarbeiter leisten von sich aus beträchtlich mehr Überstunden, um einen noch höheren Verdienst zu erzielen.« Folglich: »Damit können sie nicht nur auskommen, sondern auch noch Ersparnisse erzielen. Denn die Gastarbeiter wirtschaften in den Wohnheimen regelmäßig mit Gruppen zusammen, so daß die Gruppenverpflegung sie relativ wenig kostet.« Freiwillig zahlt Wokan noch Weihnachtsgeld an seine Türkinnen: 5 DM.
Auserwählte innerhalb der einzelnen Produktionsgruppen macht er zu seinen Vertrauten. Er zahlt ihnen bis zu 6 DM pro Stunde für die gleiche Arbeit, gewährt ihnen auch sonst Vergünstigungen, damit sie bei ihren Landsleuten für die erforderliche Arbeitsdisziplin sorgen und ihn über alles informieren.
Eine Türkin (Frau L. M.) berichtet:
»Ich war 23 Tage krank. Für diese 23 Tage habe ich nur 56 DM Krankengeld bekommen. Es war ein Unfall, demnach hätte mir der volle Lohn zugestanden. Wir arbeiten morgens ab 5.30 Uhr bis abends 19.00 oder 20.00 Uhr. Überstundenzuschlag ist hier nur 10 bis 20 Pfennig. Obwohl wir wie im Akkord schuften müssen, bekommen wir nur Stundenlohn. Wenn wir mal etwas falsch machen, werden die Meister böse, und einer hat mir ein zerbrochenes Glas an den Hals geworfen.«
Das Verhältnis der deutschen Arbeiter zu den Ausländern ist nicht das beste. Dafür sorgt u. a. das besondere System der Entlohnung. Bei den Glasbläsern, die selber unter enor-

mem Akkord- und Leistungsdruck stehen, kommt es schnell zu unkontrollierten Haßausbrüchen; wenn auf den weiteren Arbeitswegen – beim Abklopfen, Durchlaufen des Kühlbandes, beim Schleifen oder Verschmelzen oder bei der Verpackung – bei den Ausländern Glas zu Bruch geht. Dann wird es den Glasbläsern vom Akkordlohn abgezogen. Nicht die Firma haftet, wie es sein müßte, sondern der Glasmacher. Es kam vor, daß Glasmacher in solchen Situationen mit ihrem Werkzeug, der glühenden Pfeife, Ausländerinnen die Hand brandmarkten.

Ein von Wokan ausgeklügeltes Prämienlohnsystem sorgt dafür, daß Produktionsverluste durch Krankheitsausfälle ebenfalls extrem niedrig gehalten werden. Der Akkordlohn eines Monats wird um 20 % gekürzt, wenn der Arbeiter auch nur einen Tag durch Krankheit fehlt. Das bedeutet, ein einziger Krankheitstag kann ihm 300 DM Lohneinbuße bringen. Das hat zur Folge, daß sich mancher Arbeiter trotz Krankheit an seinen Arbeitsplatz schleppt und durchhält. Kurt Wokan sieht es so:

»Auch der Bundesligaspieler, der aus welchen Gründen auch immer am Bundesligaspiel nicht teilnehmen kann, verliert eben die Spielerprämie.«

Aushänge am Schwarzen Brett appellieren an den Durchhaltewillen der Betriebsgefolgschaft:

». . . bitte ich alle in der Hütte, besonders am Ofen arbeitenden Mitarbeiter, sich zu überlegen, welcher Schaden der INGRIDHÜTTE durch das Fehlen seiner geplanten Arbeitskraft entsteht. Ich bitte Sie daher, besonders darauf zu achten, sich auch außerhalb des Betriebs so zu verhalten, daß die häufigsten Krankheiten wie Übelkeit, Schwäche und Erkältungen durch eine entsprechende vernünftige und bedachte Lebensführung vermieden werden. Sie können dann gewiß sein, daß dies allen nur zum Vorteil gereichen wird.   gez. Kurt Wokan.«

»Prof. Erhard würdigte die unternehmerische Leistung Kurt Wokans und lobte besonders das Betriebsklima in der IN-GRIDHÜTTE. Erst ein freundschaftliches, vertrauensvolles Verhältnis zwischen Unternehmensleitung und Mitarbeitern begründe die leistungsstarke Gemeinschaft.«
(»Erfolg mit Glas. Kurt Wokan's Konzeption.«)

Mit immer neuen Beispielen unternehmerischer Phantasie versucht Wokan die Rentabilität der Hütte zu erhöhen. Zur Zeit der Rezession vor 2 1/2 Jahren begann der Unternehmer mit Fernsehwerbung: »Es grüßt die Ingrid-Hütte mit all ihren Glasmachern.« Sein Motto: »Mehr werben, mehr verkaufen.« Der Umsatz stieg sprunghaft an, Kurzarbeit war nicht nötig. Dennoch setzte Wokan, wie viele Firmen im Lande es nun mal so machten, die Akkordrichtsätze neu fest. 20 Prozent mehr Arbeit mußte fortan für den gleichen Lohn erbracht werden.

Wenn es dem Unternehmer im Interesse seines persönlichen Profitstrebens angebracht scheint, setzt er willkürlich Kurzarbeit an. Eine Anordnung am Schwarzen Brett gibt bekannt, an diesem oder jenem Tag wird nicht gearbeitet, kein Arbeiter wird vorher gefragt, außer einer minimalen Kurzarbeiterunterstützung entfällt jede Bezahlung.

Wokans Gewinnstreben kennt keine Grenzen. So forderte er einen seines Führungsstabes auf, die Toilettengänge seiner ausländischen Arbeitskräfte statistisch zu erfassen. Jedem, der unter dem Durchschnittswert blieb, wollte er pro unterdrücktem Stuhl- oder Uringang 1 Groschen Prämie gewähren.

Wokan ist sich nicht zu schade, auch selbst mit anzupacken, wenn es ihm erforderlich scheint. Wenn er beobachtet, daß in seiner Firma jemand nicht schnell genug geht, ermahnt er ihn – selbst die Hände an die Hosenträger geklemmt – sich künftig schneller fortzubewegen, Zeit sei schließlich Geld.

Im allgemeinen macht sich Wokan selbst die Hände nicht schmutzig, dafür hat er seine Spitzenkräfte. Einem ungeschickten jüngeren Arbeiter verbrannte einer seiner Leute mit der glühenden Pfeife den Nacken. Die Eltern hatten den Mut, ein Strafverfahren anzustrengen, er wurde verurteilt zu nur 180 DM Geldstrafe, was ihn nicht traf. Er verkündete im Werk: »Ich zahl's schließlich nicht, bezahlt die Firma!« In einem Arbeitsgerichtsprozeß einer Türkin, die ihren Einjahresvertrag vorzeitig kündigte, weil sie geschlagen worden war, wie sie behauptet, schaltete sich sein Prokurist Bälder, pleitegegangener Bauunternehmer und ehemaliger Boxer, ein. Einem ehemaligen Mitarbeiter, der als Zeuge für die Türkin vor Gericht aussagen sollte, gab er zu verstehen: »Paß nur ja auf, was du sagst, sonst sehen wir uns wieder!«

Der Zeuge fühlt sich seitdem nicht mehr so wohl in seiner Haut. Er weiß, wie die örtliche Polizei in derartigen Fällen ermittelt. Er weiß, wie bei schweren Unfällen, verursacht durch Angehörige von Wokans Führungsstab, die örtliche Polizei es versäumte, eine Blutprobe zu entnehmen, in einem Fall erst zwei Tage nach dem Unfall, in einem anderen Fall die stadtbekannten Gebrüder Wichtel, Wokans enge Vertraute, vor Gericht nicht identifizieren konnte, da sie angeblich sich zum Verwechseln ähnlich sähen. Dadurch konnte der Fahrer beim Gerichtstermin nicht ausfindig gemacht werden, die beiden belasteten sich gegenseitig, gefahren zu haben, das Verfahren wurde eingestellt.

Wen es wundert, daß das örtliche Arbeitsamt an Wokan nach wie vor ausländische Arbeitskräfte zu Hungerlöhnen vermittelt, braucht sich nicht mehr zu wundern, wenn er weiß, daß zu Wokans Freundeskreis ein maßgeblicher Mann des Arbeitsamtes Brühl gehört, der an seinen Festessen teilnimmt und mit ihm in seinem Ferienhaus an der Nordsee Urlaub machte.

Wer sich wundert, daß sich bei Wokan kein starker Betriebsrat bildet, der die gröbsten Mißstände verhindern könnte, wundert sich nicht mehr, wenn er erfährt, daß vor Jahren einer bestand und, als er es wagte, Wokans Vorstellungen eigene entgegenzusetzen, aus dessen Büro rausflog. Einige der Betriebsratsmitglieder mußten den Betrieb verlassen. Einige ältere waren froh, unbehelligt im Betrieb bleiben zu können, sie hätten aufgrund ihres Alters woanders so leicht keine Arbeit mehr bekommen. Ein Glasbläser: »Nach diesen Erfahrungen hat keiner mehr den Mut, sich für die Einrichtung eines Betriebsrates zu engagieren. Gebrannte Kinder scheuen bekanntlich das Feuer.«

Wie Wokan es sieht, kann man es auch sehen:

»Mein Partner ist unbedingt direkt der Arbeiter ... Bei unserer Größenordnung ist es immer besser, wenn man den Kontakt zu den einzelnen Arbeitern haben kann und hat.«

Wer in Wokan nur den eiskalten Geschäftsmann, Emporkömmling und Erfolgsmenschen sieht, macht es sich zu einfach. Privat leistet sich Kurt Wokan durchaus – wie viele Erfolgreiche seines Standes – ein ausgeprägtes Gefühlsleben, ja man kann sagen, er hat Kultur. So kaufte er kürzlich von der Stadt das Gelände rings um den Friedhof, um dort für seine verstorbene Frau Ingrid (seine Glashütte hat er nach ihr benannt) ein kolossales Mausoleum zu errichten. Die Pläne ließ er vom Hitler-Bildhauer Arno Breker (einem Liebling der Industrieprominenz von Rhein und Ruhr, s. Gerling-Konzern-Verwaltungsgebäude Köln) anfertigen. Bisher hat ihm die Stadt die Baugenehmigung noch nicht erteilt, aber Wokan kann warten. Wenn die Stadt neuen Raum für ihre Toten braucht, hofft er ins Geschäft zu kommen. Einmal im Jahr findet eine Totenfeier am Grabe seiner Frau statt, mit Totenreden und Kranzniederlegungen seiner Betriebsangehörigen.

Seit Kurt Wokan sich Alt-Bundeskanzler Ludwig Erhard zum Freunde machte – (Wokan: »Die billigste Werbung, die ich je hatte«) –, hat er seinen Führungsstab in Smokings gesteckt und rückt mit ihnen jedes Jahr mit einer Rose mehr (zuletzt waren es 74) zu Erhards Geburtstag an.

Er, Wokan, schuf den »Erhard-Fonds« mit einer Stammeinlage von 10 000 DM, anderen Unternehmern zum Ansporn dienend. Wokan rühmt sich seitdem, daß ihm Erhard jederzeit mit Rat und Tat zur Seite stehe.

»Prof. Dr. Erhard brachte in seiner Antwort auf Wokans Begrüßungsansprache zum Ausdruck, daß er nach Euskirchen gekommen sei, weil er einem Unternehmer Dank zu sagen habe, der ihm viele Beweise freundschaftlicher Gesinnung und Verbundenheit geliefert habe . . ., auch plädiert er (Wokan) für die Ernennung Erhards zum neuen Bundespräsidenten.«

(»Erfolg mit Glas. Kurt Wokan's Konzeption«.)

Wokan, der seine Erziehung im 3. Reich auf einer Hitler-Ordensburg genossen hat, behauptet heute, daß er »jüdisch erzogen« worden sei, seine Schwiegermutter, Henleins Frau, nennt er im Beisein von Fremden Sarah. Das hält ihn jedoch nicht davon ab, anläßlich einer Fernsehdokumentation übers 3. Reich, in der u. a. zu sehen ist, wie der NS-Verbrecher Frank gehenkt wird, zusammen mit dessen Sohn und dem übrigen Führungsstab Trinksprüche auf ihn auszusprechen, auf den »geradlinigen, aufrechen Deutschen.«

Jüngst machte Wokan von sich reden, als er in Schneegattern (Oberösterreich) eine Glashütte für 3,5 Millionen Schillinge aufkaufte, die ihm von der Österreichischen Länderbank als Kredit zur Verfügung gestellt wurden.

Erst einmal machte er aus dem einen Betrieb zwei, um das österreichische Gesetz zu umgehen, wonach auf 200 Arbeiter ein freigestellter Betriebsrat kommen muß.

Wokan: »Ich kann es nicht zulassen, daß so ein Freigestellter mir zwischen den Beinen herumläuft.«

Als er sich weigerte, bestehende Tarifverträge einzuhalten, kam es im Werk zu einem 20minütigen Warnstreik. Für Wokan so ungewohnt, daß er prompt 220 Arbeiter, die sich daran beteiligt hatten, feuerte. Darunter auch Schwangere, die ohnehin unkündbar sind. Wokan: »Auch in Deutschland gibt es ein so depertes Gesetz, daß man Frauen fragen muß, ob sie schwanger sind, wenn man ihnen kündigen will.«

Wokan, siegesgewohnt, kann nicht verstehen, daß ihm ein österreichisches Arbeitsgericht in 1. Instanz unrecht gab und die fristlosen Entlassungen aufhob, ihm ebenfalls sein Vorhaben untersagte, sozusagen als »Streikbrecher« Türken zu importieren.

Er ist nicht bereit nachzugeben. Das Gesetz ist er, so meint er. Und so ist es auch. »Dann machen wir halt aus der Glasfabrik eine Hühnerfarm«, so Wokan auf einer Pressekonferenz in Wien.

Zuvor hatte der Inhaber und Leiter der Ingrid-Hütte, Kurt Wokan, der den Alt-Bundeskanzler zusammen mit seinen Mitarbeitern im neuen Musterzimmer des Unternehmens begrüßte, darauf hingewiesen, daß er seinen und seiner Hütte Erfolg auf das Erhardsche Programm der Sozialen Marktwirtschaft zurückführe. Nach diesem Programm habe er sein wirtschaftliches Denken und Handeln ausgerichtet. Nur in der konsequenten Anwendung und Nutzung dieser wirtschaftspolitischen Prinzipien sehe er die Grundlage für den Aufstieg der Ingrid-Hütte. Als Mittelständler habe er in nur zwölf Jahren ohne einen Pfennig Fremdkapital im Bereich der Glas-Produktion einen Industriebetrieb aufgebaut, der heute einen führenden Platz in der europäischen Glasindustrie einnehme. In diesem Sommer sei es ihm möglich gewesen, die ehemals größte Mundblashütte Österreichs in Schneegattern zu erwerben, wodurch sowohl eine Erweiterung des Produktionsprogramms seines Unternehmens als auch eine Marktausdehnung in den EFTA-Raum erreicht werden solle. Es sei ihm deshalb eine besondere Freude, Prof. Erhard in seinem Hause Dank für das zu sagen, was er

in den beiden entscheidenden Nachkriegsjahrzehnten für
das deutsche Volk getan habe.
(»Erfolg mit Glas. Kurt Wokan's Konzeption«.)

Unternehmerfreiheit oder die »uferlosen Entgelterhöhungen in Heimarbeit«

»Etwa 90 000 Mark als Nachzahlung für zu geringen Arbeitslohn wollen 400 Heimarbeiter aus dem Frankenwald ablehnen.« Diese nicht alltägliche Meldung war vor einiger Zeit in den »Nürnberger Nachrichten« zu lesen.

Als Grund für den Lohnverzicht wurde angegeben: »Um ihren Arbeitsplatz behalten zu können.«

Daß es sich nicht um einen üblichen Arbeitsplatz, sondern um eine mehr gemeinnützige Sache gehandelt haben muß, geht aus der Erklärung des beschenkten Fabrikanten hervor, er habe »bisher noch nie etwas an seinen Arbeitern verdient und das Arbeitsverhältnis nur aus sozialer Rücksichtnahme aufrechterhalten –.« Als das Münchner Arbeitsministerium Hand an die Betriebskasse legen wollte, entzog der *sympathische Unternehmer* (so die lokale Zeitung »Fränkischer Tag«) seinen 450 Witwen, Rentnern und Körperbehinderten den *Zeitvertreib* (Unternehmer Stöhr) und teilte ihnen vorerst keine Arbeit mehr zu.

»Die 400 Heimarbeiter, die alle unter 65 Mark monatlich verdienen, haben dann in einer Eingabe an das Arbeitsministerium auf höheren Lohn verzichtet, um bei ihrer Firma bleiben zu können.«

Europas größtes Heimtextilwerk, die Firma Herbert Reichel, Rheinberg – 1300 Beschäftigte –, hat den Lohntüten seiner Arbeiter im vergangenen Jahr folgenden Leitspruch beigelegt:

»Ein Mann, der nicht mehr leistet als das, wofür er bezahlt wird, leistet so wenig, daß er das nicht wert ist, was er bekommt.«

Der Spruch stammt von Abraham Lincoln, der auf der Karte abgebildet ist. »Das ist heute noch gültig«, vermerkt die Firma.

Vor einigen Jahren stellte der örtliche Gewerkschaftsvertreter bei zahlreichen Heimarbeiterinnen im Bezirk Neustadt/ Aich eine merkwürdige Hauterkrankung fest. Die Arme der Frauen, die Borsten für die Pinselindustrie verarbeiten, waren mit roten Bläschen bedeckt, die stark juckten. Obwohl ihn die Frauen beschworen, nicht den Amtsarzt zu verständigen, tat es der Gewerkschaftsvertreter. Der Amtsarzt diagnostizierte »Rotlauf«, eine Krankheit, die sonst nur bei Schweinen vorkommt. Infektionsherd waren nichtdesinfizierte Borsten, die aus China geliefert wurden; der Amtsarzt beschlagnahmte die Vorräte. Die Frauen hatten acht Tage Arbeitsausfall. Sie weigerten sich, dem Gewerkschaftsvertreter Vollmacht zu geben, ihren Verdienstausfall beim Arbeitsgericht einzuklagen.

Es gibt 300 000 Heimarbeiter in der Bundesrepublik, nicht mitgerechnet mitarbeitende Familienangehörige, oft Kinder. 80 Prozent der Heimarbeiter sind Frauen, meist mit mehreren Kindern, dadurch ans Haus gebunden.

Ein Schwerpunkt für Heimarbeit ist Nordbayern.

Großunternehmen und Kleinstbetriebe liefern die Arbeit ins Haus; sparen so Arbeitsraum, Heiz-, Licht- und Werkzeugkosten. Sparen den Arbeitgeberanteil der Sozialversicherung; sie streuen die Arbeit so, daß die meisten nicht den Mindestbetrag von 212,50 DM im Monat erreichen (90 %). So tragen sie kein Risiko; bei Berufsunfall und Invalidität haften die Betroffenen. Ein Heimarbeiter ist ein rentabler Arbeiter; er ist meist auf diese Arbeit angewiesen, stammt aus sozial schwächeren Schichten, bekommt so leicht keine andere Arbeit, wodurch er gezwungen ist, seine Arbeitskraft weit unter Preis zu verkaufen. So ist es in der Branche üblich, den Heimarbeiter bei gleicher Arbeitsleistung nur halb so hoch (und oft darunter) wie den Betriebsarbeiter zu entlohnen. Die Spritzgußwerke in Weißenburg/Bayern z. B. zahlen ihren im Betrieb beschäftigten Arbeiterinnen für das Entgraten von Leika-Patronendeckeln einen Akkordlohn von 2,91 DM für 1200 Stück. Die Heimarbeiterin wird für die gleiche Menge nur mit 1,20 DM entlohnt.

Eine Weißenburger Firma, die Uniformteile herstellt, zahlt ihren Betriebsarbeitern z. B. für die Anfertigung einer Fangschnur («Affenschaukel») 3,11 DM. Die Heimarbeiterin hat sich mit 1,20 DM zu begnügen. Sie weiß meist nicht, daß ihre Arbeit in der Fabrik besser bezahlt wird; sie ist in den seltensten Fällen gewerkschaftlich organisiert, sie arbeitet isoliert. Oft muß sie ihr Arbeitsmaterial vom Werk abholen und selbst anliefern. Falls es die Firma übernimmt, bekommt sie nicht selten 5 % vom Lohn abgezogen.

Bei Sonderaufträgen liefert der Unternehmer doppelt- und dreifache Mengen an. Hier bewähren sich kinderreiche Familien. Die Termine können oft nur eingehalten werden, wenn die ganze Familie mit anpackt, vom Kleinkind angefangen. Obwohl das Gesetz es verbietet, schaffen die Frauen ihr Pensum dann nur in Nachtarbeit. Es reicht in der Regel aus, drei Heimarbeiter für sich arbeiten zu lassen, um selbst nicht mehr arbeiten zu müssen.

Abenberg, 1200 Einwohner, 40 km südlich von Nürnberg, hat eine Klöppelschule. Von katholischen Ordensschwestern geleitet, unter Verwaltung des Landratsamtes Schwabach. Das Klöppelhandwerk hat Tradition in dieser Gegend, seit 200 Jahren ist es hier beheimatet.

Mit der »Tradition« lassen sich in Boutiquen und Kunstgewerbegeschäften in den Großstädten gute Geschäfte machen. Eine Auftragsfirma sitzt im 50 km entfernten Weißenburg, die Gebrüder Auernhammer.

Der Verkaufspreis pro Meter Klöppelspitze liegt um 20 Mark. Die Klöpplerinnen in Abenberg erhalten pro Meter 60 bis 80 Pfennige. Den Meter schaffen sie in ca. 1 1/2 bis 2 Stunden.

Es gibt sonst kaum eine Arbeitsmöglichkeit für die Frauen in Abenberg. »Ja, früher bei Hitler«, so sagen sie, »sei man beim Klöppeln noch auf 50 Pfennig in der Stunde gekommen.« Schwester Mathilda an der Pforte weiß, daß die Klöppelspitzen in den Großstädten zu Phantasiepreisen verkauft werden, »aber hier«, so sagt sie, »ist das Klöppeln doch mehr oder weniger eine Freizeitbeschäftigung für die Ausgestaltung des eigenen Heims«, im übrigen sei es eine willkommene Einnahmequelle fürs Kloster.

Auch Resi H. aus Neukirchen bei Heilig Blut im Bayerischen Wald schlägt sich mit Arbeit für die Frommen durchs Leben: Am Küchentisch fabriziert sie Rosenkränze. Bei der Sorte »Arme Seelen« muß sie mit einer kleinen Zange die Verbindungsglieder von 44 Perlen und einem Zwischenstück schließen. Ein Dutzend fertiger »Arme Seelen« bringt der Häuslerin 1,91 Mark. Umgerechnet je Stunde: 1,50 Mark.

Die »bindende Festsetzung für die Herstellung von Rosenkränzen in Heimarbeit« zählt zwölf verschiedene Sorten auf – je nach der Zahl und Anordnung der Perlen tragen sie die

Bezeichnung »Sieben Schmerzen«, »Herz Jesu«, »Unbefleckte Empfängnis« oder auch ganz nüchtern »Zehner« (mit elf Perlen). Überdies werden für acht spezielle Tätigkeiten Zulagen gewährt. So kassiert die »Kettlerin« bei »Rosenkränzen mit Medaillen mit oder ohne Ring« einen Aufschlag von fünf Pfennig je Dutzend.

Frau D. in Weißenburg hat Heimarbeit angenommen, weil ihr Mann nicht genug verdient, Frau E., weil zur Zeit eine Pfändung von 60 Mark ansteht, Frau A., weil ihr Mann säuft, und Frau T., weil sie acht Kinder hat und der Mann nicht genug verdient.

Frau T. ist eingearbeitet. Sie macht Heimarbeit seit 20 Jahren, sie ist 37. Seit ihrem 6. Lebensjahr hat sie bei ihrer Mutter mitgeholfen, sagt sie. Fünf Kinder helfen ihr jetzt. Seit 15 Jahren rollt sie Topfreiniger. Material: Perlon. Vor ein paar Jahren war es Draht. Das war nicht so angenehm, sagt sie. Abends tropfte unter den Nägeln das Blut hervor. Das Material wird in vier Farben geliefert: Weiß, Rot, Blau und Lila. Der 8jährige rollt den Perlonstrumpf zusammen, sie näht ihn mit 9 Stichen zu, der 7jährige schiebt ein Etikett hinein, die 11jährige bindet je 25 Stück zu einem fertigen Strang, und die 9jährige rückt mit einer Nadel die Etiketten zurecht, damit sie »vorschriftsmäßig – wie die Soldaten –« ausgerichtet sind. Und die Jüngste, die 4jährige, trägt die Sachen heran, räumt sie weg, rollt auf. 5 Stunden etwa helfen die Kinder am Tag. Sie schaffen zusammen pro Tag 1000 Stück. Um 7 Uhr fängt sie an, um 17.oo Uhr hört sie auf. Sie kommt auf über 200 Mark im Monat, »wenn alles gutgeht.« Einmal waren ihre Hände wochenlang geschwollen, es war ihr Verlust.

»Wenn Stoßgeschäft ist«, sagt sie, »kommt der Unternehmer und bringt statt 1000 unverhofft 2000 Stück und mehr und will sie am nächsten Morgen wieder abholen lassen.

»Dann mach ich von 7 Uhr früh bis 10 Uhr abends und auch schon mal die Nacht. Die Kinder helfen mit bis zu 8 Stunden. Wenn ich sage, ich kann nicht so viel schaffen, sagt der Unternehmer, ›aber stellen Sie sich doch nicht so an, die Kinder helfen doch mit‹. Aber länger als 8 Stunden will ich sie auf keinen Fall schaffen lassen. Dann springt schon mal mein Mann ein, wenn er aus der Fabrik kommt.«

Befragt, ob sie nicht lieber eine andere Fabrikarbeit machen möchte, antwortet Frau T., von den Topfreinigern möchte sie jetzt nicht mehr weg. Sie habe lange Jahre gebraucht, um 1000 Stück am Tag zu schaffen, und wieder von vorn anfangen mit einer anderen Heimarbeit will sie nicht. Die bei ihrer Firma neu anfangen, müssen die Stahlreiniger wickeln, sagt sie, »und dabei bekommt man blutige Hände«. Im Bayern-Wald geht der Spruch um: »Selbst der Kanarienvogel zieht Zwirnsfäden.«

Den Arbeitsministerien sind diese Zustände gut bekannt. »Durch Überstunden, Nacht- und Sonntagsarbeit sowie durch die Mitarbeit der ganzen Familie einschließlich der Kinder« – so hieß es in einem Bericht des Münchner Arbeitsministeriums zynisch, erreicht ein Heimarbeiter »ein manchmal ganz beachtliches Einkommen«.

Der örtliche Gewerkschaftsvorsitzende von Weißenburg: »Ich brauch' nur in eine Heimarbeiterfamilie 'reinzugehen, da habe ich einen Fall, der vor Gericht gehört.«

Durch Flugblattverteilung versuchte er vor Jahren einmal, eine Gewerkschaftsversammlung der Heimarbeiter zu organisieren. Es ging um konkrete Fälle der Betroffenen. Zum Beispiel: »Wir besitzen eine Unterlage, die bei einer Stickarbeit 25 Minuten rechnet, der aber ein Unternehmerangebot von nur 12 Minuten gegenübersteht.«

Der Abend mußte wegen Mangel an Beteiligung ausfallen. Nur ein Unternehmer war mit seiner Heimarbeiterin erschienen, um seinen Kontrahenten zu ermuntern: »Nun legen Sie mal los.«

Ein Heimarbeiterunternehmen, die Firma E. Siebauer, Herstellung von Metalltopfreinigern, Metallgeweben und Plastikschwämmen in Weißenburg, brachte es fertig, ihre Heimarbeiter zu einer Unterschriftenaktion zu veranlassen. Das »Bayrische Staatsministerium für Arbeit und soziale Fürsorge« in einem Brief an den Hauptvorstand der IG Metall in Frankfurt: »Die Entgeltüberwachungsstelle muß deshalb ihrer Berechnung eine Stundenleistung von 125 Stück zugrunde legen, nachdem die Heimarbeiterinnen der Firma Siebauer unterschriftlich erklärt haben, daß sie durchschnittlich 125 in der Stunde herstellen.« Eine private Nachfrage bei den namentlich aufgeführten Arbeiterinnen ergab, daß sie durchaus nicht in der Lage waren, diese

Stundenleistung zu bringen. 80, 90, allenfalls 100 Topfreiniger waren die Höchstleistung. Aus Furcht, ihre Stelle zu verlieren, waren sie bereit, alles zu unterschreiben, was ihnen vorgelegt wurde. Was das Staatsministerium nicht daran hinderte, festzustellen: »Im übrigen darf darauf hingewiesen werden, daß Bayern, das die meisten Heimarbeiter im Bundesgebiet hat, die Bestimmungen des Heimarbeitergesetzes sehr genau durchführt.«

Trotz solch erfolgreicher Geschäftspraktiken schlossen sich am 3. April 1967 kleine und mittlere Heimarbeiterbetriebe zu einer »Notgemeinschaft« zusammen, um sich mit einer Petition an den Bundestag zu wenden.

»In geradezu erschreckendem Umfange machten sich die fortgesetzten Wühlarbeiten gewerkschaftlich orientierter Kreise bemerkbar, die zu einem völligen Ruin der Branche führen müssen. Die Sozialausschüsse werden von gewissen Gruppen dahingehend bewegt, ständig neue und erheblich hohe Heimarbeitslöhne gesetzlich festzulegen. Die bindenden Festsetzungen, die dann im Bundesanzeiger veröffentlicht werden, führen zu ständig steigenden Heimarbeitslöhnen, die bereits ins Uferlose gegangen sind. (1,20 DM Stundenlohn, statt Tariflohn 1,54 DM. G. W.)

Wir Hersteller von Topfreinigern appellieren heute an die verantwortlichen Stellen, dem skrupellosen Treiben gewisser Kreise bezgl. fortlaufender gesetzlicher Erhöhungen von Heimarbeitsentgelten Einhalt zu bieten. Die Auswirkungen dieser einseitigen und unberechtigten Lohnfestsetzungen sind bereits katastrophal. Viele Herstellerfirmen kalkulieren gezwungen bereits so, daß ihnen nur das ›nackte Leben‹ bleibt, in dem Mann und Frau von früh bis spät abends dazu verdammt sind, selbst die Arbeit zu verrichten.

Durch die uferlosen Entgelterhöhungen in Heimarbeit liegt unsere Industrie z. B. gegenüber der niederländischen Konkurrenz p. Gros um 1,80 DM höher und ist dadurch im ganzen Ausland erledigt . . . Welch eine beschämende Entwicklung, da doch diese Branche ihren Ausgang und ›Siegeszug‹ um die Welt in Deutschland nahm.

Eine Branche ist in Gefahr!

Jeder Unternehmer *muß* im Rahmen seiner eigenen Kalkulation und der individuellen Wettbewerbsfähigkeit mit dem Ausland seine *Unternehmerfreiheit* wiedererlangen, Wunschträume von Gewerkschaftsleuten lassen sich nicht verwirklichen . . . Unser Export in Topfreinigern ist bereits ruiniert, wir kämpfen bereits alle jeder gegen jeden (innerdeutsch gesehen) . . .

Wir Unternehmer müssen in einem Rechtsstaate mit einem verankerten Grundgesetz die Unternehmerfreiheit zurückbekommen . . . Gewerkschaftliche Aufklärung der Rechtlosen ist bereits ein grober Verstoß gegen die »Unternehmerfreiheit«.

Schreiben der Fa. Raab und Co., Fabrik für Uniformeffekten und Posamenten, an den Gewerkschaftsvertreter:

»Durch unsere Heimarbeiterinnen in Eichstätt werden wir unterrichtet, daß Sie unsere festangestellten Mitarbeiterinnen besuchen und über Lohnverhandlungen und Preisfestsetzungen diskutieren, mit dem Grundtenor, sie müßten zur Gewerkschaft gehen, um eine Neufestsetzung von Heimarbeiterlöhnen bzw. eine Kürzung zu verhindern. Wir machen Sie darauf aufmerksam, daß Sie keineswegs berechtigt sind, Besuche vorzunehmen . . .

Wir machen Sie heute darauf aufmerksam, daß wir für den Fall, daß Sie dieses Verhalten nicht sofort einstellen, geeignete Schritte unternehmen werden.«

Und deutlicher noch ein Schreiben der Fa. Siebauer:

». . . wenn nun ein ehemaliger Gewerkschaftsleiter und heutiger Gewerkschaftler meine Leute besucht, Gift in das Betriebsklima streut, bei den Heimarbeitskräften Hetze betreibt und meine Firma schlecht macht, so daß sich die Heimarbeiter spontan gegen solche unlauteren Methoden wenden, so stellt dies meines Erachtens ein Vergehen gegen die Unternehmerfreiheit, einen Verstoß gegen Verfassung und strafbare Handlungen durch Zersetzung der Arbeitsmoral dar.«

Die Firma Gebrüder Auernhammer, Weißenburg, seit 1774 in Familienbesitz und größte Firma der Branche in Deutschland, hat als erstes Unternehmen neue Wege beschritten, um wieder in den Vollbesitz seiner Unternehmerfreiheit zu gelangen.

Das angesehene Unternehmen verlagerte einen Teil seiner Produktion in ein fernes Land. Generalsspiegelkragen in Gold, Offiziersschirmmützenkokarden, Fangschnüre,

Schulterklappen, »Schwingen, von Hand gestickt, Bouillon, abgestochen«, Tätigkeitsabzeichen für Fallschirmspringer und Bundesadler en masse für die deutsche Bundeswehr werden jetzt in Pakistan von Kinderhand gestickt. So ein Generalskragenspiegel gold 300 Minuten Arbeit das Paar, und »Einfachstreifen für Gefreite« 10 Stück in 12 Minuten. Im 1. Fernsehprogramm wurde in einer Sendung über Pakistan die Produktionsvergabe als »Entwicklungshilfe« gepriesen. Dort war zu sehen, wie emsige Kinderhände aus Gold- und Silbermetallfäden Bundeswehr-Embleme wirkten. 10 Stunden sei die Arbeitszeit, wurde hervorgehoben, und der Stundenlohn: 10 Pf. Trotz hoher Zollgebühren ist diese »Entwicklungshilfe« noch kostensparender als die Löhne der deutschen Heimarbeiter.

Herr Auernhammer selbst will das gar nicht unbedingt als Entwicklungshilfe eingestuft sehen: »Ich schicke einfach meine Werkmeister 'rüber, die geben die Sachen da in Auftrag.«

»Gastarbeiter« oder der gewöhnliche Kapitalismus

*In der offiziellen Sprachregelung heißen sie »Gastarbeiter«.
Das Wort ist irreführend, muß herhalten für »Fremdarbeiter«, damit nicht die Assoziation an die 5 Millionen im
Dritten Reich nach Deutschland verschleppten Zwangsarbeiter entsteht. Das Wort ist verräterisch: Ein Gast, den
man für sich arbeiten läßt, ist kein Gast mehr. Ein »Gasthörer« z. B. ist nur ein »halber« Student, er kann keine Examina machen. »Gastarbeiter« – die trügerische Bezeichnung
verdeckt die Abneigung, diese fremden »Gäste« in die eigene Gesellschaft aufzunehmen.*

Nach einer WDR-Umfrage sind ca. 75 Prozent der bundesdeutschen Bevölkerung gegen eine Beschäftigung der ca. 2
Millionen ausländischen Gäste. Man sieht in ihnen Konkurrenz: »in schlechten Zeiten kriegen wir sie nicht mehr los,
nehmen sie uns die Stellen weg«. Es geschieht nicht von
ungefähr, daß ausländische Arbeiter gegen deutsche – und
umgekehrt – ausgespielt werden.
Im März 1965 veröffentlichte Springers »Bild« ganz in der
Nachfolge von Streichers »Stürmer« (Parole: »Juden
raus!«) unter der Balkenüberschrift »Wir wollen keine Italiener mehr!« einen Artikel, der mit dem fettgedruckten
Satz beginnt: »Sie arbeiten schlecht, fehlen zu oft und verlangen zuviel Lohn.« – Genau ein Jahr später hetzte »Bild«
mit anderer Zielrichtung. Aus Anlaß des Kongresses »Arbeitsplatz Deutschland«, den die Bundesvereinigung der
deutschen Arbeitgeberverbände in Bad Godesberg veranstaltete. (Dr. Schleyer, Vizepräsident der Bundesvereinigung und Direktor der Daimler-Benz AG, hatte in einer
Rede hervorgehoben, daß die ausländischen Arbeiter für
die deutsche Wirtschaft unentbehrlich geworden seien und
nicht öfter wegen Krankheit ausfielen als ihre deutschen
Kollegen); was »Bild« zu der 14 cm hohen Schlagzeile veranlaßte: »Gastarbeiter fleißiger als deutsche Arbeiter?«
Auf die Wirkung brauchte »Bild« nicht lange zu warten:
Morgens riefen Bildzeitungs-Verkäufer die Schlagzeilen vor

den Werkstoren der Daimler-Benz-Werke in Stuttgart aus; mittags traten bereits 3000 Mercedes-Arbeiter für einige Stunden in den Streik; und vereinzelt wurden ausländische Arbeiter von ihren deutschen Kollegen verprügelt. Schlagzeile der »Bildzeitung« am nächsten Tag: »Ohne die deutschen Arbeiter wäre unsere Wirtschaft im Eimer.«

»Erfahrungsgemäß sind die meisten ›Täter‹ Männer zwischen 20 und 50 Jahren . . . Der Anteil der Männer zwischen 20 und 50 Jahren an der Gesamtbevölkerung Deutschlands beträgt rund 20 %. Die ausländischen Arbeitnehmer jedoch sind mit 70–80 % in dieser Altersstufe vertreten, die allgemein – auch unter den Deutschen – die Mehrzahl der Kriminellen stellt.« (Manuel J. Delgado: »Die Gastarbeiter in der Presse«, 1971)

Obwohl die Statistik zeigt, daß die Kriminalität unter ausländischen Arbeitern nicht höher ist als unter deutschen, lauten die Schlagzeilen meist: »Gastarbeiter zog das Messer« oder »Gastarbeiter schlug Deutschen nieder«, egal, ob der Ausländer der Angreifer oder Angegriffene war. Z. B. »Nehmt doch den Gastarbeitern endlich die Mordwaffen ab. Viele schießen ohne Rücksicht auf die Folgen« (Mittag vom 14. 7. 67) oder »Ein Türke rächt sich an einem Nebenbuhler« (Kölner Stadt-Anzeiger von 21. 5. 68). »Auch die Art der Schilderung des Sachverhalts macht einen deutlichen Unterschied zwischen den ›ausländischen‹ und den ›deutschen‹ Tätern . . . Diese (die Gastarbeiter) ›warnen nicht‹, sie ›drohen‹, sie ›gefährden die Sicherheit des Volkes‹, ›handeln aus niedrigen Instinkten‹ usw. Der Gastarbeiter ›ermordet‹ einen Deutschen. Ein Gastarbeiter wird jedoch von einem Deutschen nicht ›ermordet‹, sondern ›getötet‹. Auf dem Zeugenstand ist ein Gastarbeiter ›störrisch und widerspenstig‹, er ›bestreitet einfach alles‹ . . . Ein Gerichtsvorsitzender schildert die anscheinend ›unbestreitbare‹ Unglaubwürdigkeit der Gastarbeiter bei der Zeugenaussage mit folgenden Worten: ›Das klingt wie ein Märchen aus 1001 Nacht. Wir haben vor Gericht die Erfahrung gemacht, daß Türken und Griechen grundsätzlich alles ableugnen.‹ (Express vom 1. 3. 68)

In Abständen bringen die großen Illustrierten Berichte zur Hebung des Nationalgefühls der Deutschen auf Kosten der ausländischen Arbeiter. So im Mai 1965 die »Neue Illustrierte« mit der Naziparole: »Noch gehört Deutschland uns!«. Der Text beginnt: »Sie pfeifen hinter unseren Töchtern her, flachsen unsere Ehefrauen an, prügeln unsere Polizisten und wollen von uns auch noch geliebt werden! Auf dem Kölner Ring gehen vier, fünf, sechs Gastarbeiter in provozierender Front nebeneinander. Die Deutschen weichen aus. Wer will schon ein Messer in den Leib haben? So denken viele und schweigen. Schweigen aus Angst vor den Stiletts unserer rabiaten Gäste . . .«

Und im November 1968 appelliert der »Stern« an den Sexualneid der Deutschen.

»Abenteuer sind im Arbeitsvertrag inbegriffen«, suggeriert der »Stern«, das sei »die Vorstellung, mit der Italiener als Gastarbeiter nach Deutschland« kämen. »Beim Tanz und auf der Straße fühlen sie sich als die Größten«, und »Die deutschen Frauen laufen uns nach«, folgt die Titelzeile.

Die Ehe mit einem Italiener sei ein »Lotteriespiel«, warnt »Stern«. »Von den 4000 deutsch-italienischen Paaren zum Beispiel, die seit 1956 in Bayern Hochzeit machten, trennte sich *inzwischen* zwar nur jedes zwölfte«, so »Stern« – (die allgemeine Scheidungsquote liegt sogar etwas höher) –, dafür weiß der »Stern« jedoch aus berufenem Mund zu berichten: »Die meisten der Ehen, die *bisher* nicht scheiterten, sind unglücklich.« Darüber das Foto einer Blondine, die sich von geilen Gastarbeitermienen abwendet, mit der Bildunterschrift »Eine Blondine zu erbeuten ist Ehrensache. Wenn sich abends und am Wochende vor Münchens Hauptbahnhof die Männer aus dem Süden treffen, beginnt die Jagd auf deutsche Mädchen.« Deshalb ist es nur folgerichtig, daß zum Beispiel die 4000 Italiener in der »wohlgeordneten Stadt Wolfsburg«, die »kein Ventil für die geballte Manneskraft, die sich tagsüber am Fließband und nachts in den Männerzimmern aufstaut, finden können«, in der »VW-eigenen, eingezäunten Unterkunft ›Berliner Brücke‹« einkaserniert sind.

»An jedem Wochenende« läßt der »Stern« Wolfsburgs Italiener nach Braunschweig »in den Puff ziehen, als Stoßtrupp ungewöhnlich liebestüchtiger Männlichkeit – wie die Italiener selber von sich meinen«.

Zum Trost für die deutschen Kunden weiß der »Stern« zu berichten, daß »der Nimbus des ungewöhnlichen Liebhabers, den der Italiener noch unter manchen deutschen Adria-Urlauberinnen genießen mag«, hier im Puff »längst zerstoben ist«. Für die Erfolge ihrer Papagalli-Kollegen an der Adria-Küste läßt der »Stern« sie jetzt büßen, indem er ihnen nur Greisinnen zugesteht. »Nach einem halben Jahrzehnt Wochenend-Verkehr zwischen Wolfsburg und Braunschweig öffnen sich den Italienern nur noch die Türen zu den Boudoirs der ganz alteingesessenen Liebeslohnerinnen. Die jüngeren hingegen sagen nein, wenn Italiener Einlaß begehren. Sie lassen sich auch durch Honorarversprechungen attraktiver Größenordnung nicht erweichen. Der Grund: ›Die glauben, sie hätten uns für lumpige zwanzig Mark gepachtet, sie könnten uns ihre Operetten vorsingen und dafür die ganze Nacht bei einem verbringen«, und, so »Stern«, »Kollegin Katja«: »Die riechen nach Schweiß und Knoblauch und wollen immer unbedingt in Liebe machen. Aber entsprechend löhnen wollen die nicht.«

Dann wartet »Stern« mit dem Fall des »schwarzäugigen Galans Antonio Dotoli« auf, der sich in die »Musterehe« des Geschirrspülautomatenvertreters Rudolf Paul drängt und die »bis dahin so fleißige und sparsame Gattin« aus dem »380 000 Mark Bungalow oben am Hang über dem Dörfchen Flacht bei Stuttgart« entführte. Es fing an damit, daß sich »seine Frau heimlich für 400 Mark einen alten Volkswagen erstanden hatte und das Haus verließ, sobald ihr Mann außer Sicht war«, um sich »in den zwölf Jahre jüngeren Antonio zu verlieben.«

Dann berichtet »Stern«, wie Paul seiner Frau eine »Ohrfeige verpaßte«, worauf sie nichts Eiligeres zu tun hatte, als die Polizei zu holen. Und das, obwohl »Paul erst nach vielen guten Worten die Geduld verlor.« Der Skandal und die Schande sind da. Mitten in der Nacht kam ein Streifenwagen. Paul: »Da wußten endlich alle Nachbarn, wie es bei uns stand.« »In seiner Not wandte sich Paul an das Ausländeramt in Leonberg. ›Weist den Italiener aus‹, bat Paul.« (Aber die Rechte eines Deutschen einem Ausländer gegenüber sind nur ungenügend geschützt, will man dem »Stern« glauben) »Erst wenn die Ehe geschieden und der Italiener rechtskräftig wegen Ehebruchs verurteilt ist, können wir ihn ausweisen lassen.« – »Seither hadert Paul mit Recht und

Gesetz. ›Wie kann es sein‹, klagt er, ›daß so ein Italiener mehr Schutz genießt als meine Ehe?‹« In einem Nebensatz erfährt der Leser noch, daß der erfolgreiche Nebenbuhler als Flaschenspüler bei der »Südmilch-AG.« in Stuttgart beschäftigt ist.

Dort suche ich ihn auf. Donnerstag, 3 Wochen nach Erscheinen des Artikels im »Stern«, 21,30 Uhr. Telefonisch hatte ich erfahren, daß Dotoli in einem werkseigenem Heim auf Firmengelände wohnt. »Ich muß Herrn Dotoli sprechen.« Der Werkschutzmann in der Pförtnerloge läßt mich nicht durch. »Ich darf hier keinen reinlassen, hier ist Firmengelände. Und um diese Zeit ist auch ein Besuch auf Anmeldung nicht möglich, und dann dieser Dotoli, der Fall geht mir langsam auf die Nerven . . .« – »Ich weiß auch nicht, wo er wohnt«, sagt der Pförtner in Uniform, »da müssen Sie schon tagsüber kommen.« – Ich kehre den imaginären Vorgesetzten heraus und weise den Werkschutzmann zurecht: »Ich habe mit Ihrem Direktor telefoniert. Er weiß, daß ich Herrn Dotoli in einer dringenden Angelegenheit aufsuchen muß. Ist das hier ein KZ, wo die Leute eingesperrt sind!« – Der Werkschutzmann ist irritiert, er mißtraut mir immer noch, aber er läßt mich durch. »Dort im alten Wehrmachtsbau«, er weist auf ein altes Ziegelsteingebäude innerhalb der Umzäunung, »wohnen die drin. Dotoli 3. Stock, 1. Zimmer rechts.« In dem bunkerähnlichen Gebäude bewohnt Antonio Dotoli mit zwei italienischen Kollegen einen Raum. Ich erkenne ihn vom »Stern«-Foto kaum wieder. Die zwei Zahnlücken, die sein Gesicht entstellen, sind auf dem »Stern«-Foto nicht zu sehen, um das Klischee des »schwarzäugigen Galans« nicht zu zerstören. Das Foto im »Stern«, ein Porträtausschnitt, zeigt auch nicht, wo es entstanden ist. Es zeigt nur einen finsteren Gesichtsausdruck von Dotoli. Antonio Dotoli erzählt, wie es entstand: Er stand auf der Laderampe und verlud Milchkästen, als er sah, daß er fotografiert wurde. Den Fotografen wollte er ansprechen, aber der lief weg. Die Sache habe ihm hier im Betrieb ziemlich geschadet, erzählt Dotoli, man sei auf die Ausländer sowieso nicht besonders zu sprechen, und jetzt werde er öfters gefoppt und angepöbelt. Wegen der Frau wolle er zum Anwalt gehen. Es stimme alles nicht, wie es im Artikel geschrieben stehe. Die Ehe der Frau sei bereits kaputt gewesen, als er sie kennengelernt habe, und er könne sie höchstens einmal in der Woche sehen, er könne hier nicht raus, wie er wolle. Jetzt sehe er sie kaum noch, sie hätte Angst, sich mit ihm noch in der Öffentlichkeit blicken zu lassen, obwohl sie seit langem von ihrem Mann getrennt in einer anderen Gegend wohne . . .

Ein Vorurteil, daß Gastarbeiter, wenn sie schwer erkranken, dem deutschen Steuerzahler auf der Tasche lägen, wird durch die Wirklichkeit auf drastische Weise widerlegt.

Erkrankt ein Ausländer – womöglich durch schwere und ungesunde Arbeit hier im Gastland, zum Beispiel an Tuberkulose, oder ist bei ihm durch Anpassungsschwierigkeiten und durch sein Gettodasein eine Gemüts- oder Geisteskrankheit zum Durchbruch gekommen, die eine Unterbringung in einer Heil- oder Pflegeanstalt erforderlich macht, wird er kurzerhand ausgewiesen. Durch das zuständige Ordnungsamt erhält er in einem solchen Fall die lakonische Mitteilung, daß er »nach § 10 des Ausländergesetzes unverzüglich die Bundesrepublik zu verlassen« habe, da »sonst Gefahr für die öffentliche Gesundheit bestehe«, oder, wie der Kommentator des Ausländergesetzes, Weißmann, es ausdrückt: »Bei längerer Krankheit kann die Aufenthaltserlaubnis versagt werden, weil der Zweck des Aufenthaltes, nämlich Arbeitnehmertätigkeit und damit Hilfe für die deutsche Wirtschaft und Industrie, nicht mehr vorliegt.« Die Kosten für den Rücktransport muß der ausländische Arbeiter in solchen Fällen auch noch selbst tragen, um in seinem Heimatland dann womöglich als Bettler den Rest seines Lebens zu fristen.

Etwa 70 Prozent der ausländischen Arbeitskräfte werden in Barackenlagern oder werkseigenen Unterkünften untergebracht. Dort umzieht meist ein hoher engmaschiger Zaun das Lager. So sind die Arbeitskräfte jederzeit verfügbar und kontrollierbar. Im eingezäunten Ausländerlager der Fa. Freudenberg, Weinheim/Bergstraße, zum Beispiel, hängt ein Schild an der Pforte in deutscher und spanischer Sprache: »Ausweis vorzeigen! Das Betreten des Heimes ist ab sofort Fremden nicht gestattet!« Vor einem Jahr wurde der Bruder eines erkrankten spanischen Arbeiters zurückgewiesen, der von Frankfurt angereist war, um seinen Bruder zu besuchen. Auf 600 spanische Arbeiter kommen dort 8

Duschen, 2 sind zur Zeit defekt. Die äußere Umzäunung scheint dem Werk nicht zu genügen. Jedes Fenster der Baracken ist noch gesondert mit Maschendraht abgesichert. Auch die sexuellen Bedürfnisse werden lagermäßig geregelt. Einmal in der Woche erscheint ein deutscher Zuhälter mit einer italienischen Prostituierten in einem Opel-Kombi-Wagen mit Liegesitzen. Die Zeit für jeden ist knapp bemessen, fünf Minuten in der Regel, wer es in der Zeit nicht schafft, kann für zehn Mark ein paar Minuten dazukaufen. Der Andrang ist groß, am Zaun stehen die anderen Schlange.

Die Unterbringung der Ausländer in Lagern ist nicht an erster Stelle auf Wohnungsknappheit zurückzuführen, hier spielen Erwägungen eine Rolle, die im Dritten Reich ihre Grundlage haben. In der Schrift »Werkschutz – Aufbau und Aufgaben«, die von der »Gemeinschaft zum Schutz der Deutschen Wirtschaft« – einer von den großen Industrieverbänden getragenen Organisation – herausgegeben wird, ist Punkt 7 den Gastarbeitern gewidmet. Neben der Rubrik »Vorbeugende Maßnahmen gegen Ausspähung« wird das Mißtrauen gegen Gastarbeiter geschürt, in einer mit den Zwangsarbeiter-Verfügungen fast wörtlich übereinstimmenden Diktion:

»Steter Beachtung bedarf die politische Beeinflussung, der die Gastarbeiter auf den verschiedensten Wegen wie durch Rundfunk, Schriftpropaganda und Agenten ausgesetzt sind. Abgesehen von der bedenklichen ideologischen Beeinflussung im Sinne des kommunistischen Klassenkampfes können Unruhestiftung, Panikmache, Ausspähung und Sabotage im Betrieb die Folgen dieser Agitation sein. Bei den Vorsichtsmaßnahmen durch den Werkschutz müssen die Besonderheiten der Gastarbeiter berücksichtigt werden. Um Verständigungsschwierigkeiten zu beheben, müssen vertrauenswürdige Dolmetscher zur Verfügung stehen.«

Diese »vertrauenwürdigen Dolmetscher« werden von Großunternehmen oft als Spitzel eingesetzt, die über die politische Einstellung ihrer Landsleute zu berichten haben. Obwohl z. B. die italienische oder spanische KP in der Bundesrepublik nicht verboten sind, genügen oft Kontakte oder bloße Sympathieäußerungen, um den Betreffenden in sein

Heimatland abzuschieben. Ein Recht, den Arbeitsplatz zu wechseln, haben ausländische Arbeiter oft nicht. Gelegentlich wird ihnen als Beigabe zur Aufenthaltserlaubnis ein Stempel in den Paß gedrückt mit folgendem Text: »*Die Aufenthaltserlaubnis wird ungültig bei Aufgabe der Tätigkeit bei der Firma* . . .« Dadurch sind ihnen alle Ausweichmöglichkeiten zu anderen Arbeitsplätzen genommen. Lohnkürzungen und Schikanen ausgeliefert, befinden sie sich in absoluter Abhängigkeit. Würden sie dagegen angehen, könnten sie entlassen werden, was z. B. für spanische und griechische Arbeiter bedeutet, daß sie in ihre faschistischen Herkunftsländer abgeschoben werden, wo ihnen Verfolgungen drohen.

Das Zeugnis, durch das sie nach einem Jahr die Arbeitsstelle wechseln können, nennen die spanischen Gastarbeiter in Deutschland: »Carta de libertad«, Freiheitsbrief oder besser: Freilassungsbrief.

Eine der größten Baufirmen der Welt, die Philipp Holzmann AG, hat fast 700 Bauarbeiter aus 7 Nationen in armseligen, firmeneigenen Baracken in Frankfurt-Rödelheim untergebracht. Ein Lagerbewohner: »Wir haben hier 56 Toiletten für 700 Mann. Wer austreten will, der muß 100 oder 200 Meter laufen, auch nachts, bei jedem Wetter.« Dieses Lager der Holzmann AG hat auch eine Lagerordnung oder wie die Firma es nennt »Hausordnung«, in der es heißt: »Befestigen und Bekleben von Gegenständen an Türen, Fenstern und Wänden ist nicht erlaubt«, weiter heißt es: »Die Hausordnung ist ein Bestandteil der Aufenthaltserlaubnis. Personen, die gegen diese Anordnung verstoßen, werden *unnachsichtig* von der Gemeinschaftsunterkunft ausgeschlossen.« Das bedeutet, ein Arbeiter, der ein nicht genehmes Bild oder politisches Plakat aufhängt, kann von der Firma Holzmann AG entlassen werden und damit seine Aufenthaltserlaubnis verlieren.

Die Schuhfabrik Bama in Mosbach bei Heidelberg – nahezu 5000 Beschäftigte – hat auch ohne Stempel ihre ausländischen Arbeiterinnen fest in der Hand. 30 Mädchen aus Uruguay nahm sie kurzerhand die Pässe ab. In Montevideo hatten sie einen dreijährigen Arbeitsvertrag unterschrieben. Über Bezahlung und Unterbringung waren ihnen nur mündliche Zusicherungen gemacht worden. Der Lohn sei gut, hieß es da, und für die Unterbringung sorge die Firma. Der Monatsverdienst lag bei 430 DM, fürs Unterkommen mußten sie selbst sorgen und bezahlten dafür bis zu 150 Mark. Samstags sollten sie Überstunden machen, die wurden ihnen oft nicht mal wie normale Stunden bezahlt. Mitunter bekamen sie für 8 Überstunden 15 Mark in die Hand gedrückt. Außerdem zog ihnen die Firma noch 1980 Mark für Überfahrtskosten vom Lohn ab. Als die Mädchen sich weigerten, weiterhin die unlukrativen Überstunden zu machen, behielt die Firma unvermittelt je 300 Mark für Überfahrtskosten vom Lohn ein. Sie mußten sich an Freunde und Bekannte wenden, um das Geld für Miete und Essen aufzubringen. Die einzige Chance, aus dem Sklavenvertrag herauszukommen, war die Heirat mit einem Deutschen. Vier schafften es und arbeiten jetzt in anderen Firmen.

Die »Hanseatische Futtermittelfabrik – Fischmehlverarbeitung« in Hamburg-Harburg beherbergt ca. 100 Italiener in werkseigenen Baracken auf Firmengelände. Die Baracken sind solider gebaut als üblich, die Firma macht rein äußerlich – sie arbeitet halbautomatisch – einen freundlicheren Eindruck. Die großen Eisenflächen der Fabrik sind blau oder rot gestrichen und die Baracken weiß. Der Pförtner läßt auch Besucher herein, durch Knopfdruck öffnet er ein großes Eisentor.

Gastarbeiter bleiben in der Regel Hilfsarbeiter: Bei AEG-Telefunken, wo mehr als jeder fünfte Arbeiter Ausländer ist, gibt es nicht einen einzigen ausländischen Meister und nur vereinzelt Vorarbeiter. Bei Henkel in Düsseldorf (7500 Arbeiter, 1650 Ausländer) nicht einmal einen Vorarbeiter. Von den 3100 Gastarbeitern des Chemie-Giganten BASF stieg nur einer, ein Italiener, zum Vorarbeiter auf. Bei Bayer-Leverkusen (3000 Gastarbeiter) weiß man das nicht genau: »Etwa vier bis sechs Vorarbeiter.«

»Der weitaus größte Teil der Gastarbeiter stellt die Basis der Betriebshierarchie dar. 48 % der männlichen Italiener, 37 % der Griechen, 43 % der Türken in der Bundesrepublik sind als ungelernte Arbeiter bzw. Hilfsarbeiter beschäftigt. Nimmt man die Gruppe der angelernten Arbeiter hinzu, so sind es zwischen 85 % und 90 %, die trotz teilweise bereits mehrjähriger Aufenthaltsdauer nicht in die nächsthöheren Ebenen der Facharbeiter, Vorarbeiter, Meister aufsteigen konnten.« (R. Leudesdorff u. H. Zilleßen: »Gastarbeiter = Mitbürger«).

Die Firma hat einen Grad der Automation erreicht, der menschliche Arbeit für den Produktionsprozeß beinahe überflüssig macht. »Wir verdienen nicht schlecht hier«, sagt der Italiener G., »und es gibt Arbeit, die schwerer ist. Einen Nachteil hat die Arbeit nur, wir kriegen den Fischmehlgestank nicht mehr aus der Haut heraus.« – Das ist der Grund, daß die meisten das Lager fast nie verlassen, sie halten es für unzumutbar, zum Beispiel in eine Gaststätte zu gehen. Giovanni war drei Wochen nicht draußen gewesen und Carlino zwei Monate. »Für uns ist das wie eine neue Militärzeit«, sagt Giovanni. »Eine Beförderung gibt's hier nicht. Die Deutschen machen die Vorarbeiter und Meister, wir machen die Drecksarbeit. Es ist noch nie vorgekommen, daß ein Italiener Vorarbeiter geworden ist. Es ist auch nicht möglich, daß wir Deutsch lernen, um Fragen stellen zu können, wir haben keinen Dolmetscher.«

Vom Pförtnerhaus her detoniert ein Schuß. Es ist der Werkschutzmann, der von morgens 8.00 Uhr bis zum nächsten Tag morgens 6.00 Uhr Dienst tut, und der ab und zu in die Luft ballert, um nicht einzuschlafen. Ab und zu stößt er die Tür unseres Raumes auf – ohne anzuklopfen –, um, wie er sagt, »mal nach dem Rechten zu sehen.« Dann krault er Giovanni wie ein Haustier am Kopf.

Die Arbeit hier hätte ihnen die Katholische Mission vermittelt, erzählt Giovanni, die sich mehr kümmere als das Arbeitsamt.

Das Weihnachtsgeld sei den ausländischen Arbeitern in diesem Jahr von 230 auf 200 DM heruntergesetzt worden, und wer vor März kündige, müsse das Weihnachtsgeld zurückgeben.

Der Italiener Angelo, 35 Jahre, berichtet: »Es war im vorigen Jahr, als nicht soviel Arbeit da war, als ich mit dem Lohnzettel zum Lohnbüro ging, um zu fragen, was die einzelnen Lohnposten bedeuteten. Wir wurden alle nicht schlau daraus. Man sagte mir: »Wenn du nicht sofort machst, daß du wegkommst, fliegst du raus. Sollen wir dir Beine machen! Da hab' ich gemacht, daß ich wegkam.« –
»Das war die gleiche Zeit«, erzählt Giovanni, »als alle, die länger als drei Tage krank waren, die Papiere bekamen. Nicht mal schriftlich ging das. Sie wurden zum Werksleiter gerufen, und der übergab die Papiere und sagte: ›Such dir

was anderes‹.« – Als der 20jährige Benito einen Fischmehl-sack ungeschickt anfaßte und umstieß, war das Anlaß für eine fristlose Kündigung, berichtet Carlino.

»Noch heute ist es so«, sagt Carlino, »daß man uns morgens sagt, so, heute ist keine Arbeit da, geht wieder in eure Quartiere, oder, es ist wenig heute, macht nur drei oder vier Stunden, je nachdem; wir kriegen den Ausfall dann nicht bezahlt.«

Angelo: »Ich hatte mir drei Stunden frei genommen, um das Kind meiner Schwester, die auch in Hamburg arbeitet, im Kindergarten anzumelden. Um pünktlich am Arbeitsplatz zu sein, nahm ich ein Taxi für 15,- DM von Hamburg nach Harburg. Da sagte man mir, heute nicht, Arbeit fällt aus.«

Carlino: »Wir hatten in einem Raum vergessen, nachts das Licht auszuschalten. Am nächsten Morgen sah es der Werksleiter noch brennen. Er kam zu uns in die Baracke und montierte selbst alle Lampen ab. 14 Tage saßen wir ohne Licht. Da taten wir uns alle zusammen und gingen zum Werksleiter. – Entweder die Lampen kommen wieder rein, oder wir kündigen alle, sagten wir. Am selben Tag hatten wir wieder Licht.«

Als vor einigen Jahren die Notstandsgesetze noch auf ihre praktische Anwendbarkeit hin erprobt wurden, wurden in einzelnen Gegenden der Bundesrepublik von Bundeswehr, Bundesgrenzschutz und örtlicher Polizei Planspiele durch-geführt, deren Übungszweck es war, in einer angenomme-nen Spannungszeit (z. B. in einer Wirtschaftskrise) ein »plötzliches, massenweises Ausreisen« von ausländischen Arbeitskräften unmöglich zu machen. Das »Übungssoll« wurde verhältnismäßig einfach erreicht, man begnügte sich damit, Bahnhöfe und Flughäfen systematisch abzuriegeln. Von der Errichtung von Lagern, die bei Zwangsverpflich-tung deutscher Arbeiter vorgesehen waren, konnte hier ab-gesehen werden, da fast 70 Prozent der ausländischen Ar-beiter ohnehin in Baracken oder Wohnheimen unterge-bracht sind, die unter Firmenkontrolle stehen. Eventuell zu erwartende Schwierigkeiten mit den Heimatländern der re-krutierten Ausländer waren zu diesem Zeitpunkt – was Spanien und Portugal betraf – bereits aus dem Weg ge-räumt: in Form von Geheimverträgen. Ansonsten regelte das Ausreiseverbot schon das Ausländergesetz vom 28. April 1965: § 10 »Einem Ausländer kann die Ausreise untersagt werden, wenn es 1. die Sicherheit der Bundesrepublik Deutschland gefährdet« oder 5. »er sich einer öffentlichen Dienstleistungspflicht entziehen will.« (Zur »allgemeinen Dienstleistungspflicht« kann im Notstandsfall jede rüstungs-, versorgungs- und allgemein für die Volkswirtschaft wichtige Arbeit – damit praktisch jede Arbeit – deklariert werden.)

Bereits jetzt existiert eine »Warnkartei« in der »Zentralkartei für nichtdeutsche Arbeiter« in München, in der z. Z. mehr als 50 000 Ausländer registriert sind, teilweise nur wegen des Verdachts, daß sie in »staatsabträglicher Richtung«, das heißt linkspolitisch eingestellt sind.

Daß, aus dem Blickwinkel der Industrie betrachtet, »die Beschäftigung ausländischer Arbeiter weit über das vordergründige Problem, nämlich die Deckung des Arbeitskräftemangels, hinausgeht und zu einem menschlichen Wagnis wird, das sowohl den einzelnen wie ganze Völker einbezieht«, ist oft genug aus offiziellen Verlautbarungen herauszuhören. (»Der ausländische Mitarbeiter im Betrieb«, Verlag Moderne Industrie.)

Die Beschäftigung der ausländischen Arbeiter wird gleichgesetzt früheren »Begegnungen, durch Krieg und Völkerwanderungen herbeigeführt, die trotz der leider oftmals negativen Vorzeichen solcher *Unternehmen* immer dazu geführt haben, die Zivilisation und Kultur Europas zu befruchten«. (»Der ausländische Mitarbeiter im Betrieb«, Verlag Moderne Industrie.)

»Das Mittelmeer ist fest in deutscher Hand . . . Die Bundesanstalt (für Arbeitsvermittlung) beschäftigt zur Zeit in diesen Anwerbestellen im Mittelmeerraum 250 bis 300 Bedienstete . . . Das ist auch ein nicht ganz unbeachtliches Transportproblem. Wir haben ein Netz von Sonderzügen, mit dem die *Abtransporte* erfolgen.« Oberdirektor Dr. Zöllner, Bundesanstalt für Arbeitsvermittlung und Arbeitslosenversicherung, (auf der 29. Mitgliederversammlung der Arbeitsgemeinschaft deutscher wirtschaftswissenschaftlicher Forschungsinstitute e. V., vor Vertretern von Bundesministerien und Industrievertretern.) Die Sprache macht den Stellenwert und die Bedeutung der Ausländer für die

deutsche Wirtschaft deutlich: dem Konjunkturofen wird das verlangte Brennholz zugeführt. Und damit hat's sich. Vor den Sonderzügen, die die »Abtransporte« der Ausländer besorgen, wird in deutschen Fahrplänen als »nicht empfehlenswert« gewarnt. Die Züge kommen von weit her, oft 40 Stunden und mehr unterwegs, dem Menschenmaterial stehen – da es schließlich keine Touristen sind – auch keine Liege- oder Schlafwagen zur Verfügung, oft sind die Wagen nur unzureichend geheizt. Eine Rot-Kreuz-Schwester, die solche Abtransporte, die fast täglich im Bahnhof Köln-Deutz-tief einlaufen, empfängt, sagte mir: »Kleine Kinder, die dabei sind, sind oft steif gefroren. Die müssen wir dann in unserer Station erst mal auftauen.« Die anderen, Männer und Frauen, 500–700, stehen, da Köln nicht über einen Warteraum für eine solche Menge Ausländer verfügt, dann in hundert Meter langer Reihe im Freien, frieren im Winter weiter, warten geduldig, bis ihre Namen aufgerufen sind und sie zu ihrem endgültigen Standort weiterverfrachtet werden. Max Frisch schreibt im Vorwort zu »Die Italiener«, ein Buch, das von den italienischen Arbeitern in der Schweiz handelt: »Lebensgläubig wie Kinder erschrecken viele über den Schnee im fremden Land und brauchen lange Zeit, bis sie merken, welcher Art die Kälte ist, die sie erschreckt.« Das Erschrecken wird schon artikulierter, wenn sie sich um Zimmer oder Wohnungen bemühen.
Ich habe in Köln einen Versuch unternommen und mich auf Zeitungsanzeigen hin um möblierte Zimmer bemüht. Zuerst, wie ich sagte, für einen ausländischen Bekannten, einen sogenannten Gastarbeiter. Bei 30 Anfragen fand sich nur ein Vermieter bereit, für so einen sein Zimmer herzugeben. Die meisten bekannten deutlich: »Wir vermieten nicht an Ausländer«, oder brachten die Ausrede »ist schon vergeben«. – Als ich ein paar Stunden später bei den gleichen Vermietern wieder anrief und das Zimmer für mich, einen Deutschen, beanspruchte, waren die Zimmer plötzlich ohne Ausnahme noch zu besichtigen.
Es gibt allerdings auch Vermieter, die ausschließlich nur an Ausländer vermieten: Ausgebaute Lagerräume unter Fabrikdächern, Scheunen, ausgebaute Kinos, stillgelegte Fabrikhallen mit Sperrholzwänden in einzelne kleine Kammern unterteilt, notdürftig hergerichtete Ruinen, Kellerräu-

me, Baracken. Zu horrenden Preisen. Mit einer 3-Zimmer-Wohnung, die auf dem freien Wohnungsmarkt an die 300 Mark Miete bringen würde, wird oft durch Belegung mit 8–12 Ausländern 800-1200 Mark Gewinn erzielt. Es sind keine Einzelfälle. Zu erhöhten Wucherpreisen kommen oft mindere Rechte. Ich habe zum Beispiel eine Hausordnung, die neben den 19 Punkten für Deutsche 3 Zusatzpunkte für Ausländer aufweist:

Punkt 20: »Für die im Kellergeschoß wohnhaften Gastarbeiter ist jeglicher Besuch nur mit Genehmigung des Vermieters gestattet.

21: Das Übernachtenlassen von Besuchern ist grundsätzlich verboten.

22: Den Anordnungen des Hausmeisters ist Folge zu leisten, Verstöße gegen die 3 letzten Punkte haben die sofortige Kündigung und Ausweisung aus der Unterkunft zur Folge.«

Große Werke stellen oft moderne Hochhäuser für Ausländer zur Verfügung, hygienisch perfekte Männersilos und Frauengettos. Die Variationsbreite reicht vom Asozialen-Milieu bis zum modernen Jugendherbergstil. Der Eindruck ist gleich trostlos. Weil sie getrennt leben von der deutschen Bevölkerung – im 3. Reich gab es den Begriff »Hilfsvölker« – unter sich sind und gemieden oft, getrennt von ihren Frauen und allen anderen Frauen auch, in isolierter Männer- oder Frauengemeinschaft. Diese Leute lernen kaum Deutsch und wagen sich oft nur in Gruppen an die Öffentlichkeit, Fremde, die fremd bleiben, auf Grund einer Wohnsituation, die man als Provisorium eine Zeitlang hinnehmen mag, die aber Lagerpsychose, Homosexualität und Ressentiment produziert, wenn sie zum Dauerzustand wird. Und mehr als ein Viertel der Ausländer lebt bereits sieben Jahre und mehr, fast ein Drittel vier Jahre und mehr bei uns, in einer Situation, die der Norddeutsche treffend mit »draußen vor« bezeichnet.

Angeworben und »abtransportiert« werden von den deutschen Kommissionen ausgesuchte gesunde und kräftige Arbeiter – in der Regel sollen sie nicht älter als 35 sein –, die Empfängerfirmen zahlen an die deutsche Kommission 165 DM Kopfgeld, für Italiener 60 DM.

Die Einfuhr des Menschenmaterials »erwies sich immer mehr als ein ebenso wichtiger Ausgleichsfaktor wie die Importe ausländischer Rohstoffe und Halb- und Fertigfabrikate«. (»Blick durch die Wirtschaft«, Frankfurt/M., Nr. 289.) »Weil sie auch körperlich besser belastbar sind, so daß wir sie gerade mit den schweren körperlichen Arbeiten gut beschäftigen können, ... würde es sehr schwerfallen, für derartige Arbeiten deutsche Arbeitskräfte zu gewinnen.« (29. Mitgliederversammlung, Oberdirektor Dr. Zöllner) Da wir es ja mit kulturlosen Barbaren zu tun haben, die sich in unserer für sie »fremden *sozialen* und *kulturellen* Umwelt zu orientieren haben, was zunächst nicht ohne schmerzliche Erfahrungen abgehen wird«, ist jede Dreckarbeit gut genug für sie. »Wir wissen, daß in manchen Fällen die Müllabfuhr zusammenbrechen würde, wenn keine ausländischen Arbeiter da wären.« (Dipl. Volkswirt Faßbender)

Der Caritas-Präsident Albert Stehlin:
»Es ist etwas anderes, als Tourist im Süden seine Freude zu haben an dem lauten Palaver auf dem Markt . . ., oder das alles mitten in unserem Werktag zu haben, zu dem es so wenig paßt. So richtig es für den Italiener ist, zu Hause mit List und Schläue seinen Vorteil zu suchen, bei uns nimmt sich das schlecht aus und wird sehr mißverstanden. Ordnung, Sauberkeit und Pünktlichkeit scheinen uns selbstverständliche Eigenschaften eines anständigen Menschen zu sein, im Süden kennt und lernt man das eben nicht, so geht es einem hier nur schwer ein.«

Beim U-Bahn-Bau in Frankfurt z. B. waren bis zu 80 Prozent »Gastarbeiter« beschäftigt (5 tödliche Unfälle). Allgemein liegt die Unfallquote bei den ausländischen Gästen etwa doppelt so hoch wie bei den Deutschen, im VW-Werk kommen 7,2 Unfälle auf 1000 deutsche Arbeiter, 16 Unfälle auf 1000 Ausländer; bei der Bundesbahn sogar ein Verhältnis von 8,2 zu 36,4.
Dafür liegt der Krankenstand bei ihnen niedriger, »weil wir uns ja die Ausländer, die wir über unsere Kommissionen anwerben, in bezug auf ihren Gesundheitszustand sehr genau ansehen, gesundheitlich angeschlagene kommen nicht herein«. (Oberdirektor Dr. Zöllner, Bundesanstalt für Ar-

beitsvermittlung und Arbeitslosenversicherung, auf der 29. Mitgliederversammlung, Bonn.)

Als weiteres Plus, wie Oberdirektor Zöllner vermerkt, ist »Krankfeiern in großen Gemeinschaftsunterkünften ein etwas zweifelhaftes Vergnügen«. »Die 60 Prozent (in werkseigenen Heimen Einquartierten, d. Autor) haben sehr wenig Möglichkeit, wirklich krankzufeiern.« Was nicht unbedingt ein besonderes Verdienst der Firmenaufsicht ist, die Beschaffenheit der Unterkünfte sorgt oft dafür: »Was ›angemessene‹ Unterkunft ist, bestimmt sich nach den Grundsätzen, die in einer Verordnung über die Unterbringung von Arbeitern auf Baustellen festgelegt worden ist ...« (Diplom-Volkswirt Faßbender vom Institut zur Förderung des industriellen Führungsnachwuchses auf der 29. Mitgliederversammlung.) So ist es auch zu verstehen, daß für den »Gastarbeiter« das »Wochenende ja keine angenehme Freizeit bedeutet, sondern mitunter eine Störung der angenehmen Beschäftigung«. (Oberdirektor Zöllner)

Dann wird noch einmal eine statistische Unterscheidung getroffen: (Dipl.-Volkswirt Faßbender) »Bei Spanierinnen, die im Wohnheim wohnen, betrug der Krankenstand zwischen 2,5 und 3,5 Prozent, bei den wenigen außerhalb des Heims wohnenden Spanierinnen aber 12,5 Prozent, und just 12,5 Prozent beträgt auch der Krankenstand der deutschen Arbeiterinnen.«

Weitere kostensparende Gründe für die Einstellung von Ausländern: »Wir haben aber außerdem den Vorteil, daß bei den Ausländern der Anteil der Ledigen sehr hoch ist, daß also Unkosten, die durch Familien entstehen, z. B. Aufwendungen für Schulen, Krankenhäuser oder sonstige Einrichtungen, durch sie im geringeren Umfang als im Durchschnitt entstehen. Die Kosten der schulischen Heranbildung sind geringfügig im Vergleich zum Durchschnitt bei den Deutschen; und soweit die ausländischen Arbeitnehmer eine gewisse Ausbildung genossen haben, sind die Kosten dafür der deutschen Wirtschaft erspart geblieben.« (Oberdirektor Zöllner)

Die Kosteneinsparungen sind nicht gering. Die ausländischen Arbeiter haben meist eine Grundschul- und seltener auch eine Berufsausbildung erhalten. Für einen Grundschüler investiert der Staat pro Jahr 700 DM. Bei mehr als einer

Million ausländischer Arbeitskräfte entfällt dieser Betrag, was allein eine Einsparung von 700 Millionen DM ausmacht, wenn man nur ein Kind pro »Gastarbeiter« rechnet. Im übrigen sind die ausländischen Arbeiter noch zwecks »Lohn-Dämpfungseffekts« und zur Hebung der »Arbeitsmoral« einsetzbar. »Ohne die 1,2 Millionen Ausländer würden etwa 2 Millionen Arbeitskräfte fehlen. Die daraus erwachsenden Spannungen auf dem Arbeitsmarkt und insbesondere auf dem Lohnsektor wären kaum tragbar und Gefahren von Auswüchsen so groß, daß man den Dämpfungseffekt, den die Beschäftigung von Ausländern hat, nicht zu klein in Rechnung stellen sollte.« (Oberdirektor Zöllner) Statt Abbau nationaler Schranken und Solidarität mit deutschen Kollegen sieht Zöllner lieber eine »nationale Spannung«, von der er sich eine »stimulierende Wirkung« verspricht. »Man will im Betrieb mitunter dem Ausländer auch zeigen, daß der Deutsche arbeiten kann. Aus diesen gewissen Rivalitäten ist zumindest ein belebendes Moment zu erwarten«, das, so Altkanzler Erhard, als »stabilisierendes Moment bezüglich der Pünktlichkeit und Arbeitsmoral in der Bundesrepublik« zu bewerten sei.
Das darf aber nicht darüber hinwegtäuschen, daß »die Gefahr der Überfremdung im Betrieb vermieden werden muß«. (»Ausländische Mitarbeiter im Betrieb«, Verlag Moderne Industrie.) Es kann nie was schaden, und »naturgemäß wird es schon im Interesse des Betriebes liegen, mit der Polizeidienststelle für Ausländer eine Verbindung zu pflegen«. Gleich zweimal empfiehlt der »Verlag Moderne Industrie« den Firmen, vorsorglich »in den Wohnheimen einen besonderen Kofferraum einzurichten, zu dem der Schlüssel nur beim Heimleiter zu erhalten ist«, damit keiner nach eigenem Ermessen die Heimreise antreten kann.
Neben dieser Form der »legalen« Menscheinfuhr im Sinne einer Konjunkturbelebung gibt es noch Möglichkeiten, durch Umgehung der Gesetze, durch *Menschenhandel* den Arbeitsmarkt zu beleben.
Es gibt zur Zeit in der Bundesrepublik etwa 300-350 Firmen, deren Geschäftsusancen darin bestehen, ausländische Arbeiter unter Vertrag zu nehmen und gegen entprechende Prämien weiterzuverleihen. Diese »Subunternehmen« sind meist Einmannbetriebe, große Kapitalien sind dafür nicht

erforderlich, lediglich genaue Markt-Beobachtung, gute Einfuhrwege aus dem Ausland und Kontakte zur Großindustrie. Diese modernen Sklavenmärkte sorgen in konjunkturstarken Zeiten für schnellen Nachschub des Arbeitskräftebedarfs, seit 4. April 1967 durch Bundesverfassungsgerichtsurteil legalisiert. (Bis dahin hatte die Bundesanstalt für Arbeitsvermittlung und Arbeitslosenversicherung in Nürnberg offiziell noch das Arbeitsvermittlungsmonopol bei derartigen »Arbeitnehmer-Überlassungsverträgen«.)

Man rechnet auf 100 legale Arbeiter 15 illegale. Die Verleiherfirmen: (›Anbei erhalten Sie zwei Stück Maurerhelfer‹) Was die menschliche Arbeitskraft für die Industrie wert ist, zeigen solche Arbeitsverträge. 9-11 DM Stundenlohn zahlen die Firmen für die Leiharbeiter an die Subunternehmen. Die zahlen 3,50 DM bis 4,50 DM an ihre gepachteten Arbeiter aus – abzüglich 25 Prozent Sozialabgaben –, den Rest behalten sie für ihre »Arbeit« ein. November 1968 setzte sich der Subunternehmer Pavlovic – ein Exiljugoslawe – mit einigen Millionen DM an die Riviera ab. Pavlovic hatte im In- und Ausland 15 Werbestellen eingerichtet, in jugoslawischen Zeitungen warb er mit Inseraten. Von den Bewerbern verlangte er lediglich ein Besuchs- oder Durchreisevisum. Wenn sie sich bei ihm meldeten, zog er die Pässe ein und versprach, die erforderlichen Papiere, Arbeits- und Aufenthaltserlaubnis, zu beschaffen, was nie geschah. Zur Zeit seines Aussteigens aus dem Unternehmen hatte Pavlovic 450 ausländische Arbeiter unter Vertrag, die er alle an deutsche Baufirmen verschachert hatte – 287 ohne Arbeits- und Aufenthaltserlaubnis. Diese Arbeiter waren völlig rechtlos: ohne Kündigungsschutz, ohne Anspruch auf tarifliche Vergütung, Urlaub und sonstige arbeitsrechtliche Ansprüche konnten ihnen ohne weiteres vorenthalten werden, durch Vereinbarung hoher Vertragsstrafen bei Kündigung ihrerseits waren sie an einer freien Verwertung ihrer Arbeitskraft gehindert.

Pro Arbeiter und Stunde »verdiente« der Arbeitskräfteverleiher durchschnittlich zwischen 5 und 6 DM und vereinnahmte pro Arbeitswoche 72 000 DM.

Als die Sache herauskam, kamen die Baufirmen, die die Ausländer unter derartigen Bedingungen ausbeuteten, nicht vor Gericht. Die Jugoslawen wurden wegen illegalen

Aufenthalts aus der Bundesrepublik ausgewiesen. Pawlowic könnte heute noch seinen schwungvollen Menschenhandel betreiben, wenn er, so der leitende Direktor des Nürnberger Arbeitsamtes, Klammroth, »nicht die Sozialabgaben unterschlagen und seinen Arbeitern tatsächlich die Arbeits- und Aufenthaltserlaubnis beschafft hätte«.
Inzwischen setzt er seinen Menschenhandel von Straßburg aus über Mittelsmänner fort.

»Die ausländischen Arbeitnehmer kommen aufgrund einer freiwilligen Entscheidung als freie Menschen in ein Land mit einer freiheitlichen Gesellschaftsordnung. Es gibt keine Freiheit ohne Verantwortung. Deshalb ist zunächst einmal jeder selbst für seine Lebensgestaltung in dieser freiheitlichen Ordnung verantwortlich. Wir erwarten deshalb von den Ausländern, daß sie sich selbst um Eingliederung und Anpassung an unsere Verhältnisse bemühen. Nicht wir können uns den Ausländern anpassen, sie müssen sich vielmehr selbst unsere Ordnungsvorstellungen zu eigen machen . . .«

Prof. Siegfried Balke,
Bundesvereinigung der
Deutschen Arbeitgeberverbände

Fillippo M. kam 1961 »aufgrund einer freiwilligen Entscheidung« – sein Haus in Palermo war durch ein Erdbeben zerstört worden – nach Deutschland. Ein mit einer deutschen Anwerbekommission in Italien abgeschlossener Vertrag verhieß ihm, daß er auch in Deutschland in seinem Beruf als Tischler eingesetzt würde. Als er in eine Oberhausener Zeche unter Tage einfuhr, merkte er, daß sein Beruf zur Zeit in Deutschland nicht gefragt war. Seine »Lebensgestaltung« unter Tage sah so aus, daß er 20 Prozent Hauersoll mehr bringen mußte, um den gleichen Lohn wie seine deutschen Kollegen zu erhalten.
»Um Eingliederung und Anpassung an unsere Verhältnisse bemüht«, stieg Fillippo aus dem 2-Jahres-Knebel-Vertrag aus und arbeitete einige Monate im Düsseldorfer Milchhof ohne Papiere.
Quartier bezog er in der Fehrbelliner Str. 11, in einem 2,50 × 3,00 Meter großen Raum, möbliert mit Stuhl, Bett und

Tisch: Miete 110 Mark. Durch eine Sperrholzwand von ihm getrennt, war in einem gleich großen Raum eine dreiköpfige griechische Familie einquartiert. Fillippo ließ seine Frau aus Italien nachkommen. Gemeinsam nahmen sie Arbeit bei der Fa. Dowidat in Remscheid auf. Sie waren froh, in der Martin-Luther-Straße 54 zwei kleine Mansardenzimmer mieten zu können. Da eine Toilette im Mietvertrag nicht inbegriffen war und sich nebenan ein Polizeirevier befand, wurde Fillippo mehrere Male verwarnt, als er seine Notdurft in einer öffentlichen Anlage verrichtete.

Um sich »unsere Ordnungsvorstellungen zu eigen machen« zu können, wechselte Fillippo nach langem Suchen das Quartier. Ein deutscher Eigenheimbesitzer in der Solinger Straße überließ Fillippo 1 1/2 Kellerräume für 220 Mark (38 qm). Hier gab es eine eigene Toilette und die Möglichkeit, einen Teil der Waschküche als Küche einzurichten. Dafür ein Verbot, eine Fernsehantenne am Haus anzubringen und seine drei Kinder, die in Italien bei den Großeltern sind, bei sich wohnen zu lassen (wegen Lärmempfindlichkeit des Besitzers, dessen zwei Kinder gerade über Fillippo ihr Kinderzimmer haben). Eine Kraftfahrzeugversicherung, die Fillippo im letzten Jahr abschloß, verlangte von ihm die Zahlung der Versicherungssumme für zwei Jahre auf einmal, obwohl mit dem Vertreter mündlich halbjährliche Zahlung abgesprochen war. Fillippos Frau versuchte bei ihrer Firma, für die gleiche Zeit wie ihr Mann Urlaub zu beantragen, um mit ihm zusammen die Kinder in Italien besuchen zu können. Sie trug sich als eine der ersten in die Urlaubsliste ein. Ihr Meister und der deutsche Betriebsobmann gaben ihr zu verstehen, daß zuerst die Urlaubsansprüche der deutschen Arbeiterinnen zu berücksichtigen sind. Sie mußte ihren Urlaub gesondert nehmen.

Fillippo, aus dem Urlaub zurück, fand seinen Arbeitsplatz neu besetzt, ihm wurde eine schwerere und schmutzigere Arbeit zugewiesen. Auf seine Beschwerde teilte ihm der Betriebsrat mit, die Italiener würden immer dreister, man müßte ihnen das Maul stopfen. Wenn es ihm hier nicht passe, solle er wieder dahin gehen, wo er hergekommen sei.

Die Überprüfung der Ausländerunterkünfte seitens der Arbeitsämter führte im Berichtsjahr nur in Einzelfällen zu Beanstandungen.« (»Ausländische Arbeitnehmer«, Erfah-

rungsbericht 1967, hrsg. v. d. Bundesanstalt für Arbeitsvermittlung und Arbeitslosenversicherung, Nürnberg)
Das Gesetz, nach dem sich die Bundesanstalt orientiert, stammt aus dem Jahr 1934: das »Gesetz über die Unterkunft bei Bauten«. Ein Gesetz, das die notwendigsten Voraussetzungen bei Baubuden, Notunterkünften und Barakken festlegt, die »den Anforderungen der Hygiene und des Anstandes entsprechen«.

Die Werkzeugmaschinenfabrik Gedore im Remscheid (ca. 1000 Beschäftigte) hat den ausländischen Arbeitskräften einen Teil der Fabrik zum Wohnen überlassen. 170 Ausländer haben ihre Schlafstellen im linken Seitenflügel der um die Jahrhundertwende erbauten Produktionsstätte und im Keller. Durch eine Sperrholzwand ist ein Teil der Fabrik abgetrennt worden. Die Kochstellen befinden sich in den Schlafräumen. Holzdielen sind an einigen Stellen von Ratten durchgefressen. Der Steilabhang vor den Unterkünften ist eine Müllhalde. Durch ein großes Eisenrohr quillt den Insassen der eigene Kot vors Fenster. 37 Mark Monatsmiete zahlen die in zweistöckigen Feldbetten Untergebrachten. Die meisten sind länger als zwei Jahre hier einquartiert. Es sei schlimmer als beim Kommiß, sagen einige Jüngere. Kein Konsulats- und kein Gewerkschaftsvertreter sei bisher zu ihnen gekommen, trotz mehrerer Eingaben. Nach einer längeren Diskussion über die Möglichkeit von Solidaritätsaktionen wollen 40 spontan der Gewerkschaft beitreten. Am nächsten Tag holt einer von ihnen die Aufnahmeformulare. Sie hoffen so den örtlichen Gewerkschaftsvertreter aktivieren zu können.

»*Die ausländischen Arbeitnehmer sind in erster Linie daran interessiert, hier ungestört ihr Geld zu verdienen.*« *Prof. Balke, Bundesvereinigung der Deutschen Arbeitgeberverbände.*

»Pensionsbetrieb« nennt Th. Dreesen sein Unternehmen in Remscheid, Neuenkampener Straße 56-62. Es gibt noch zwei weitere derartige Pensionsbetriebe in Remscheid, die Dreesen-Pension liegt mit einem Fassungsvolumen von 250 bis 350 Gästen an der Spitze.

Die Hausordnung suggeriert eine familiäre Herbergsatmosphäre: »1. Unser Pensionsbetrieb ist ein Haus für jedermann. 2. Aufgenommen werden alle Personen, die unsere Hausordnung anerkennen. 3. Für das Leben untereinander ist Ruhe und Rücksichtnahme Voraussetzung . . . 4. Festefeiern auf den Stuben ist untersagt.« Monatsmiete 80-100 Mark, je nachdem, wieviel Wochen der Monat hat. Die Dreesen-Pensionsbetriebe sind eine stillgelegte Fabrik. Als die Backhaus-Werke von der Panzerkettenfabrik Diehl übernommen wurden und die Fabrikhalle ungenutzt leerstand, kaufte der ehemalige Schuhladenbesitzer Dreesen den Schuppen zu einem Spottpreis. Er zergliederte die Fabrikhalle mit Trennwänden aus Holz in einzelne Räume und belegte sie mit jeweils acht Ausländern. Italiener im vorderen Hallenbereich, Marokkaner im äußeren Hallenabschnitt. Ein Raum, der auf dem normalen Wohnungsmarkt kaum 100 Mark an Miete einbringen würde, bringt hier bis zu 700 Mark monatlich. Nischen unter dem Dach vermietet Dreesen häufig zum gleichen Preis an nicht angemeldete Marokkaner. Sie klettern mit einer Leiter in ihre Schlafstellen unters Dach, wo sie nicht mal aufrecht sitzen können.

Morgens zwischen 5 und 6 Uhr kommen Arbeitskräftevermittler zu den Dreesen-Pensions-Betrieben und verschachern die Unangemeldeten – oft weit unter Preis – für Tagelöhne an Baufirmen. Die Vermittlungsgebühr, die sie für diesen Menschenhandel kassieren, liegt pro Kopf oft höher als der gesamte Tagesverdienst des Vermittelten. Einer dieser Subunternehmer, unter dem Vornamen Klaus bekannt, ca. 30 Jahre alt, holt seine »Ware« aus Sicherheitsgründen täglich mit anderem Wagen und wechselndem Nummernschild ab.

Neben seiner Pensions-Fabrikhalle hat Dreesen eine heruntergewirtschaftete Gaststätte aufgekauft und sie ebenfalls für Ausländerübernachtungen hergerichtet. Wo die Holztäfelung an den Wänden aufhört, beginnen die Gastarbeiterquartiere, durch Holzwände abgetrennte Mini-Räume. Ein Raum – 14 qm – beherbergt z. B. 8 Spanier. Tagsüber liegen die Koffer auf den Feldbetten, nachts, wenn man sich hinlegt, setzt man die Koffer auf den schmalen Gang. Duschen fehlen in der Pension, für 250 Pensionsgäste sind 8 Toiletten da. Dreesen hat das Geschäft seines Lebens gemacht, er erwirtschaftet fast nur Reingewinn – ca. 20 000 Mark monatlich. Von der Polizei hat er nichts zu befürchten. 50 Beamte führten zwar vor zwei Jahren kurz vor Weihnachten eine Großrazzia in seiner Pension durch, aber sie galt nicht ihm, sondern seinen Gästen, deren Koffer man einzeln durchsuchte, wohl in der Hoffnung, kommunistisches Propagandamaterial zu finden oder Ausländer ohne Aufenthaltsgenehmigung aufzuspüren. Die Razzia schien erfolgreich gewesen zu sein, etwa ein Dutzend Ausländer wurde abgeführt und ausgewiesen. Dreesen brauchte sich um neue Gäste keine Sorgen zu machen, sein Betrieb ist immer »ausgebucht«.

Häufig gehen Ausländervermieter auch umgekehrt vor: ein ehemaliger Gastwirt in Offenbach mietete mehrere Wohnungen eines Altbaus, ließ die Zwischenwände aus den Zimmern entfernen und machte so aus einer Wohnung einen großen Schlafsaal. Er kaufte billige, alte Krankenhausbetten, Spinde, Stühle und einen großen Tisch. Den zur Wohnung gehörigen Keller richtete er notdürftig als Waschraum ein. Dann vermietete er das Bett für 80 Mark im Monat. 15 Betten stehen in dem Schlafsaal. Für eine Wohnung, die ihn selbst 300 Mark kostet, kassiert er so 1200 Mark.

Vor einigen Jahren berichtete die »Westfälische Rundschau« von einem Ludwigsburger Metzger, der seine Wurstküche, seine Ladenräume, eine Waschküche und Garage an Ausländer als Wohnraum vermietete. Er verdiente genug, um seine Metzgerei schließen zu können.

Oft kommen Ausländer mit falschen Erwartungen ins »ge-

lobte Land«. So engagierte vor einigen Jahren das »Hütten-
werk Oberhausen« 131 spanische Arbeiter. Sie wurden in
ein Lager einquartiert, in dem sie zu je sechs einen Schlaf-
und Aufenthaltsraum teilten. Bei ihrer Anwerbung waren
ihnen Wohnungen versprochen worden, bei ihrer Ankunft
war noch nicht einmal die Finanzierung des angeblich geplanten Wohnblocks geklärt.

Die Baumschule Gustav Lüdemann in Halstenbek/Schles-
wig-Holstein stellt »ihren Gastarbeitern« eine ehemalige
Kaserne zur Verfügung: eiserne Feldbetten-Gestelle,
schmutzige Wände, nackter Dielenfußboden. Vermieter
Klaus Lüdemann: »In dieser Kaserne haben früher schon
die polnischen Fremdarbeiter gewohnt.«

Die Firma MAN hat ihre Gastarbeiter in München-Gerber-
au untergebracht. In baufälligen Baracken aus dem 3.
Reich, damals dienten die gleichen Baracken zur Unterbringung von Zwangsarbeitern. Es hat sich kaum etwas geän-
dert: die Pappverkleidung ist dieselbe, im Waschraum gibt
es immer noch keine Heizung und die Abflußrohre sind
seitdem immer noch nicht gereinigt worden, so daß es in den
Zimmern nach Urin stinkt.

Die MAN nimmt pro Bett 40 Mark, pro qm verdient sie 22
Mark. Eine Münchener Zeitung wollte über das Lager berichten. Die MAN drohte daraufhin mit Anzeigenboykott,
die Zeitung schwieg.

In der ersten Phase der Ausländerbeschäftigung vor 1960
wurden im bayerischen Dachau italienische, spanische und
griechische Arbeiter zusammen mit ihren Familien in den
halbverfaulten Baracken des ehemaligen Konzentrationsla-
gers einquartiert (in letzter Konsequenz ein nicht unlogi-
sches Unterfangen).

Wer als Ausländer gegen die angetroffenen Verhältnisse zu
opponieren wagt, kann ohne weiteres wieder ausgewiesen
werden. Eine Gruppe spanischer Arbeiter wurde vor einigen Jahren von der Leitung der Gelsenkirchener Zeche
»Graf Bismarck« in ihr faschistisches Heimatland zurückge-
schickt, weil sie ihrer Forderung nach dem tariflichen Hau-
erlohn durch Streik Nachdruck verliehen hatte. Genauso
erging es einem spanischen Arbeiter in den Hamburger
Howaldt-Werken, der sich gegenüber Journalisten über
schlechte Wohnverhältnisse geäußert hatte.

In der gleichen Zeit unterstützte die Bundesregierung finanziell durch ihr Presse- und Informationsamt eine offizielle falange-faschistische Gastarbeiterzeitung in Deutschland: »Die 7 Fächer«, ein antigewerkschaftliches Hetzblatt.

Bei der ARWA-Strumpffabrik in Berlin werden fast nur Griechen beschäftigt, die wenigen Deutschen in der Firma sind Vorarbeiter oder haben andere privilegierte Stellungen. Warum das so ist, erzählen griechische Arbeiter: »Wir haben in Griechenland einen Vertrag unterschrieben, in dem steht, daß wir mit den Tarifgesetzen der Textilindustrie einverstanden sind. Kein Arbeiter, der das unterschreibt, weiß, was das bedeutet. Das sieht dann so aus: wir unterschreiben alle einen Vertrag als Strumpfformer, die im Akkord arbeiten. Aber von etwa 200 Arbeitern arbeiten nur 60 als Strumpfformer, die anderen bekommen einen niedrigeren Stundenlohn. Die griechischen Arbeiter produzieren heute 5000 Paar Strümpfe am Tag, die Firma zahlt für 1000 Paar Strümpfe, die vier Arbeiter an einer Maschine produzieren, 29 DM. Vor 3 Jahren produzierten 4 deutsche Arbeiter nur 2800 Paar Strümpfe an denselben Maschinen, die Firma zahlte noch vor 2 Jahren für 1000 Paar Strümpfe an die deutschen Arbeiter 32 DM. Wenn wir 5000 Paar Strümpfe abgeben, kann die Firma nach eigenem Ermessen 2000 pauschal als kaputt abziehen, auch wenn der Ausschuß nicht durch unsere Schuld, sondern durch Versagen der Maschinen zustande kommt.

Wenn einen Tag lang wegen Stromausfall nicht gearbeitet werden konnte, wurde dieser Tag uns vom Urlaub abgehalten. Pause, wie sie gesetzlich vorgeschrieben ist, nämlich 5 Minuten in der Std. können wir nicht machen, weil keiner da ist, der dann an die Maschinen geht, und die Maschine produziert nur beschädigte Strümpfe, wenn der Arbeiter nicht am Platz ist.

Die Arbeiter forderten bei der Firmenleitung: »Offenlegung der Lohnberechnung und der Akkordkalkulation. Gleichen Lohn für alle Arbeiter. Gleiche Behandlung von deutschen und griechischen Arbeitern, Entlassung der Unternehmer-Dolmetscher und Wahl von Dolmetschern, die das Vertrauen der Arbeiter genießen. Einsetzung eines Ersatzmannes für je vier Leute an einer Maschine, um den Arbeitern Kurzpausen während der Arbeit zu ermöglichen, vertretbare Wohnverhältnisse.«

Die Firma ging auf keine Forderung der Arbeiter ein, im Gegenteil, die Arbeit, die bisher von 4 Ausländern zu machen war, sollte nun von dreien geschafft werden. Als am nächsten Tag, nach dem vergeblichen Versuch, das Arbeitstempo mitzuhalten, 42 Strumpfformer einer Abteilung streikten, reagierte die Firma mit fristloser Entlassung und Ausweisung aus dem Wohnheim. Weder die Gewerkschaft Textil und Bekleidung noch das Arbeitsamt deckten die Entlassenen. So mußten schließlich einige gezwungenermaßen zur ARWA zurückkehren, da sie sonst ihre Arbeits- und damit Aufenthaltserlaubnis verloren hätten.

Den Entlassenen wurde klar, daß ihr Kampf gegen unsoziale Zustände und Ausbeutung zugleich ein Kampf gegen das Ausländergesetz – das lediglich ein Gnadenrecht ist – sein muß. In einer Erklärung der Arbeiter heißt es: »Die ausländischen Arbeiter, deren Arbeitserlaubnis an ihre Aufenthaltsgenehmigung gekoppelt ist, können keine Arbeitskämpfe führen, ohne gleichzeitig den ganzen Überbau, der ihre Ausplünderung durch die deutschen Unternehmer deckt, anzugreifen. Dieser Notwendigkeit, den ökonomischen Kampf politisch zu führen, steht allerdings die völlige politische Rechtlosigkeit und Vogelfreiheit der ausländischen Arbeiter entgegen.«

Das Landgericht Dortmund verurteilte im vorigen Jahr den spanischen Gastarbeiter Liebana Rios wegen angeblicher »Beteiligung an einem Geheimbund« zu 2 Monaten Gefängnis. Liebana hatte eine antifrancistische Demonstration spanischer Gastarbeiter vor dem spanischen Konsulat in Düsseldorf organisiert. Ohne richterlichen Haussuchungsbefehl führten Polizeibeamte in Zivil eine Haussuchung in seiner Wohnung durch. Er, seine Frau und vier Kinder mußten sich an der Wand des Wohnzimmers aufstellen und eine Leibesvisitation über sich ergehen lassen. Dabei wurden sie mit der Pistole in Schach gehalten.

Liebanas Notizbücher und einige marxistische Schriften in spanischer Sprache wurden beschlagnahmt und Liebana und ein weiterer spanischer Gastarbeiter verhaftet. Liebana: »Bisher bin ich in Spanien nicht bestraft worden. Und dort herrscht eine Diktatur. Hier habe ich im Gefängnis gesessen . . .«

In Krisenzeiten soll das ausländische Arbeitskräftepotential gegen das deutsche ausgespielt werden. Zur Zeit des Papierarbeiterstreiks der IG Chemie im Sommer 1962 wurde erstmals der Versuch unternommen, ausländische Arbeiter mit Druckmitteln gegen ihre deutschen Kollegen zu mißbrauchen und sie als Streikbrecherkolonne einzusetzen. Sowohl in Norddeutschland wie in Rheinland-Pfalz versuchten es einzelne Unternehmen: einmal mit Hilfe von Extraprämien, während des Streiks »neue« ausländische Arbeiter anzuwerben; dann wurde der Versuch unternommen, mit Gruppen zeitweilig ausgeliehener ausländischer Arbeiter Streiks zu brechen.

Die Zahl der Betriebe, in denen Gastarbeiter 25 %, 30 % bis 50 % der Belegschaft ausmachen und in denen sie weder im Betriebsrat noch unter den gewerkschaftlichen Vertrauensleuten vertreten sind, ist ständig im Wachsen.
Nach Mitteilungen der IG Metall sind bei den vorjährigen Betriebsrätewahlen in der Metallindustrie knapp 40 000 Betriebsratsmitglieder gewählt worden, davon jedoch nur 84 Italiener, 22 andere EWG-Ausländer, 8 Griechen, 3 Spanier, 14 sonstige. Gemessen an ihrem Prozentsatz innerhalb der Arbeiterschaft müßten die Ausländer jedoch statt 131 gut 2000 Vertreter im Betriebsrat haben. Auch eigene Sprecher haben die Ausländer in den Betrieben nicht. Verhandlungen mit ihnen werden – zumindest in Großbetrieben – über die Dolmetscher geführt, die aufgrund ihrer Sprachkenntnisse und als Angestellte des Betriebs privilegierte Stellungen einnehmen, weshalb die Unternehmer meistens mit ihnen zufrieden sind, die ausländischen Arbeiter oft nicht.

Man drohte ihnen mit sofortiger Abschiebung in ihre Heimat, wenn sie sich dem Einsatz aus einem nicht bestreikten Betrieb in einen bestreikten Betrieb widersetzen würden. Die Firma veröffentlichte eine angeordnete »Entschließung« einer griechischen Arbeitergruppe, wonach sie »nur nach Deutschland kamen, um Geld zu verdienen, und sich darum für den Streik von deutschen Arbeitnehmern nicht interessieren«. Diese Versuche, Streiks mit Hilfe von erpreßten Ausländern zu brechen, scheiterten allerdings an der Solidarität der Mehrzahl der Ausländer. Ebenfalls schlug ein Versuch fehl, ausländische Arbeiter zum Streikbruch zu zwingen, indem man ihnen die weitere Lieferung der vertraglich vereinbarten Kantinenernährung nur für den Fall ihrer Weiterarbeit zugestehen wollte.

Andererseits entledigt man sich auf unkonventionelle Weise unrentabel gewordener Ausländer, wenn man es gerade für richtig hält. So u. a. die Opel-Werke in Rüsselsheim zur Zeit der Absatzflaute 1967. Mehrere hundert ausländische Arbeiter waren über Weihnachten ahnungslos in ihre Heimat gereist. Größtenteils nahmen sie zusätzlich noch unbezahlten Urlaub, da sich sonst die weite Reise nicht gelohnt hätte. Als sie am 20. Januar ins Opel-Wohnheim zurückkehrten, hatten 200 von ihnen die Kündigung auf dem Tisch liegen. Die Werksleitung hatte es nicht für nötig erachtet, ihnen die Kündigung in ihre Heimat zu schicken. So standen viele ohne Geld da, mußten es sich von zu Hause schicken lassen oder vom Konsulat borgen.

Eins bringen die ausländischen Arbeiter aus der Bundesrepublik oft mit nach Hause: politisches Bewußtsein. In einigen Gebieten Italiens mit hoher Auswanderer- und Rückwandererquote steigt der Stimmenanteil der KPI. Nicht etwa, weil die Arbeiter in der BRD kommunistisch »infiltriert« worden wären, sondern weil sie Klassengegensätze am eigenen Leib erfahren haben.

Aufdeckung von Mißständen zu befürchten

Seit fünf Jahren versucht der jetzt 46jährige Bergmann Horst Bleuel aus Düren entweder Arbeit oder Rente zu bekommen. Nach einem schweren »Verkehrsunfall« ist er zu »70 v. H. erwerbsgemindert«.

Dem »Verkehrsunfall«, der ihn nach 12tägiger Bewußtlosigkeit als Invaliden im Krankenhaus aufwachen ließ, war eine Art Vorwarnung vorausgegangen. Horst Bleuel, damals erfolgreicher Kandidat der DFU – (in einer Vorwahl erhielt er in seinem Wahlbezirk 10 Prozent Stimmen; mehr als die CDU) – war über die Gefährlichkeit seines Tuns informiert worden. Seine politischen Gegner teilten seiner Frau telefonisch mit: »Sagen Sie Ihrem Mann, wenn er die Finger nicht von der Politik läßt, dann liegt er eines schönen Tages im Straßengraben!«

Fünf Tage später war es soweit. Horst Bleuel fuhr spät abends mit seinem Moped von einer Wahlveranstaltung nach Hause; als er nach dem Öffnen einer elektrischen Bahnschranke im ersten Gang anfahren wollte, wurde er 30 m weit weggeschleudert. Einen grauen Mercedes, den er auf sich zurasen sah, konnte er später als einzigen Anhaltspunkt der Polizei mitteilen. Die Ermittlungen wurden bald darauf als ergebnislos eingestellt.

Im neurologischen Gutachten des ersten behandelnden Arztes wurde ihm die geäußerte Vermutung, daß es sich bei dem »Verkehrsunfall« um einen politischen Racheakt gehandelt haben könnte, als Verfolgungswahn ausgelegt: ». . . er äußerte Verfolgungsideen, gab an, er sei als Angehöriger der Deutschen Friedens-Union in seinem Dorf dauernd Verfolgungen ausgesetzt und hielt den jetzigen Unfall nicht für einen eigentlichen Verkehrsunfall, sondern glaubte, überfallen worden zu sein.«

Andere politische Verfolgungen, die sogar aktenkundlich beim Gericht festgehalten waren, ignorierte der Mediziner in seinem Gutachten. 1963 war Bleuel im Kommunalwahlkampf vom Wahlvorstand Gerhard Karsten zusammengeschlagen worden. Er mußte für einen Monat ins Krankenhaus und bekam später vom Gericht 2500 Mark Schmerzensgeld zugesprochen. Und in eben dieser Zeit hatte ihm die »Christlich-Demokratische Arbeitsgemeinschaft« seines Wohnortes Dürwiß – eine christlicher Tradition verpflichtete Kaufmannsgilde – in einem Schreiben mitgeteilt, falls er seine politische Tätigkeit nicht aufgebe, würde er sich um seine wirtschaftliche und familiäre Existenz bringen. Auch dieser Drohung folgten Taten: Die »Rheinischen Braunkohlenwerke AG« kündigten ihm den Arbeitsplatz, weil er durch Verteilen der linken Zeitung »Tatsachen« angeblich den »Betriebsfrieden« gestört habe, obwohl gleichzeitig im Betrieb Kollegen Plaketten der revanchistischen Organisation »Unteilbares Deutschland« unbehelligt verkaufen durften.

Nach seiner Kündigung nahm sich Bleuel noch das Recht heraus, täglich in der seiner Wohnung gegenüberliegenden Werkskantine verbilligte Milch zu kaufen; er war der irrigen Auffassung, daß das Werk ihm für seine Staublunge, die er sich bei der ungesunden Arbeit geholt hatte, zumindest noch verbilligte Milch schuldig sei. Mit Schreiben vom 10. Oktober 1967 belehrten ihn die »Rheinischen Braunkohlenwerke AG« eines Besseren:

»Sehr geehrter Herr Bleuel! Wie wir in Erfahrung gebracht haben, sind Sie nach Beendigung Ihres Arbeitsverhältnisses in letzter Zeit wiederholt in unseren Betrieben angetroffen worden, obwohl Ihnen bekannt sein dürfte, daß der Aufenthalt Betriebsfremder innerhalb unseres Betriebsgeländes aufgrund bergpolizeilicher Vorschriften nicht gestattet ist. Im Hinblick darauf sehen wir uns gezwungen, Ihnen ausdrücklich jeden weiteren Aufenthalt innerhalb unseres Betriebsgeländes zu untersagen.
Glück auf.
Rheinische Braunkohlenwerke AG.«

Außer dem Arbeitsplatz wurde Bleuel dann auch die Wohnung gekündigt. Grund: angebliche »Staatsgefährdung«. Seinem Nachbarn war von der politischen Polizei als Nebenerwerbsjob die Aufgabe übertragen worden, alle Besucher Bleuels zu melden. Darunter seien auch einige Mitglieder der KPD gewesen.

Die ebenfalls angedrohte Zerstörung von Bleuels »familiärer Existenz« gelang nicht: Bleuels damals 18jährige Tochter, die von einem Verfassungsschutzbeamten für die Bespitzelung ihres Vaters mit Geld für ein Auto geködert werden sollte, lehnte ab.

Der durch »Verkehrsunfall« 70 Prozent erwerbsgeminderte Horst Bleuel versucht seine Rente durchzubekommen. Die Knappschaftsversicherung erklärt ihn für »nicht rentenberechtigt«. Auf seine Klage vor dem Sozialgericht Aachen entscheidet das Gericht im Sinne der Versicherung:

»Der Kläger ist noch in der Lage, leichte Tätigkeiten in geschlossenen Räumen unter Vermeidung von Maschinenarbeiten aller Art vier bis fünf Stunden täglich zu verrichten. Diese Arbeit muß so beschaffen sein, daß sie ›nicht mit Bücken, Tragen oder Heben verbunden‹ ist und muß ›abwechselnd im Gehen, Stehen, Sitzen verrichtet werden‹ und darf außerdem ›keine Unfallgefährdung‹ mit sich bringen. Diese Tätigkeit ist dem Kläger sozial zumutbar. Er ist auf den allgemeinen Arbeitsmarkt verweisbar.«

Die richterliche Entscheidung nutzt dem ehemaligen Bergmann nichts. Der »allgemeine Arbeitsmarkt« lehnt ihn mit diesen Auflagen als unzumutbar ab. Arbeitslosenunterstützung bekommt er nicht, so das Arbeitsamt Düren, weil er zwei erwachsene Kinder habe und im Jahr vor seinem Antrag weder Arbeitslosengeld bezogen noch einer Beschäftigung nachgegangen sei, was ihm auch nicht möglich war, denn da war er ja schon krank.

Anspruch auf Rente hat er nicht, weil er nicht »berufsunfähig« ist, das Arbeitsamt vermittelt ihn nicht, weil er nicht »erwerbsfähig« ist . . .

Horst Bleuel will, wenn er schon keine Rente kriegt, Arbeit bekommen. Er klagt vorm Landessozialgericht. Das Landessozialgericht fordert ein ausführliches Gutachten vom zuständigen »Rheinischen Landeskrankenhaus« Bedburg-Hau (Kreis Kleve) an.

Dieses Gutachten »Arztsache vertraulich« vom Oktober 1970, von zwei Landesmedizinaldirektoren und einem Diplom-Psychologen unterzeichnet, verlagert das Krankheitsbild des Arbeiters Bleuel vom medizinischen in den politischen Bereich.

Mit dem Befund über den 45jährigen »vorgealtert wirkenden Mann von asthenischem Körperbau in mäßigem Ernährungs- und genügendem Kräftezustand, Größe 1,75 m, Gewicht 65 kg; Haut und sichtbare Schleimhäute ausreichend durchblutet. Zunge feucht, nicht belegt; Gang mit leicht gebeugter Haltung, unauffällig; Gebiß erheblich lückenhaft und sanierungsbedürftig«, stellt sich die ärztliche Kunst in den Dienst politischer Diffamierung. Da wird Patient Bleuel fürs »Psychologische Zusatzgutachten« sieben Tests unterworfen. Sie fallen mehr oder weniger günstig für ihn aus: »gut durchschnittliches intellektuelles Niveau«; verfügt über ein durchaus beachtliches allgemeines Wissen«; »vermag sinnvoll und logisch zu denken und sich effektiv mit einem Problem auseinanderzusetzen«; »vermag in vorzüglicher Weise früher gemachte Erfahrungen bei ähnlichen Problemen wieder zu verwerten«. Diese Testergebnisse werden nur auf einer knappen Seite abgehandelt; auf den weiteren 2½ Seiten wird Bleuel politisch seziert: »Bemerkenswert ist, daß Herr Bleuel mitunter Schwierigkeiten bei der Erfassung und richtigen Interpretation sozialer Situationen hat. Hier werden seine Sichtweisen häufig durchaus einseitig und eingeengt. Dies hat seine Begründung darin, daß Herr Bleuel ideologisch und weltanschaulich ausgesprochen festgelegt und auch engagiert ist. Seit Jahren ist er Mitglied der DKP. In bezug auf soziale Mißstände ist der Blick ausgesprochen geschärft, die Wahrnehmung ist in bezug auf solche Probleme ausgesprochen akzentuiert und fixiert.«

SUCHE
ungeachtet meiner bestehenden Gesundheitsstörungen leichte körperliche Arbeit – ohne Bücken, Tragen, Heben, abwechselnd im Gehen, Stehen und Sitzen – bei der eine Unfallgefährdung nicht besteht. Diese Arbeit ist mir – im Namen des Volkes – laut Beschluß des Landessozialgerichts NRW 2. Senat, Essen, Aktenzeichen: L 2 Kn 93/69, noch zumutbar.
Angebot an: Horst Bleuel, 516 Düren, Stettiner Straße 2.

(vergebliche Stellungssuche in Tageszeitungen)

Und noch deutlicher: »Während von psychologischer Seite im Bereich der Fähigkeiten und Fertigkeiten keine groben berufs- und erwerbsmindernden Ausfälle, sei es nun im Bereich der Intelligenz, der Aufmerksamkeit, der Konzentration, des Antriebs oder der allgemeinen Arbeitsmotivation und Leistungsbereitschaft, festgestellt werden konnten, sind von sozialer Seite her Störungen zu befürchten.« (Stö-

rungen nicht der Arbeiterinteressen, vielmehr der Profitinteressen): »Es ist bei dem emotionalen Engagement, das Herr Bleuel in bezug auf eine parteipolitische Betätigung aufbringt, mit Störungen in Betrieben, in denen Herr Bleuel arbeitet, zu rechnen.« Denn: »Durch seine parteipolitischen, mitunter fanatischen Agitationsneigungen vermag Herr Bleuel einen erheblichen Unruheherd in einem Betrieb darzustellen. Dort, wo er arbeitet, wird er sich recht engagiert an die Aufdeckung von Mißständen machen und diese auch vor der Arbeiterschaft und der Öffentlichkeit darzustellen versuchen. Dies kann so weit gehen, daß Herr Bleuel das notwendige Maß an Besonnenheit, Einsicht und Kritik nicht mehr aufbringt und gegenüber einer vernünftigen und sachangemessenen Problemerörterung blind wird.« Die Landesmedizinaldirektoren gehen in ihrer politischen Diagnose noch weiter: »Die Äußerung, daß er sich noch zu jung fühle zum Invaliden, ist vermutlich nicht der wahre Grund, weshalb Herr Bleuel arbeiten möchte. Ihm geht es nach den gemachten Beobachtungen wohl in erster Linie darum, den Kontakt mit der Arbeiterschaft nicht zu verlieren . . .«
Ebenfalls im medizinischen Gutachten mitaufgenommen ist die Bemerkung, daß Horst Bleuel, der als 16jähriger im Dritten Reich wegen kommunistischer Betätigung 5 Monate inhaftiert war, »neunmal mit seiner Familie in die DDR hinübergefahren sei«.
Falls dem Arbeiter Bleuel vom Landessozialgericht das Recht auf Arbeit wieder verweigert wird, weiß er diesmal wenigstens, wo er dran ist. Er hat es dann den Landesmedizinaldirektoren, an denen tüchtige Werkspolizisten oder Verfassungsschutzbeamte verlorengegangen sind, zu verdanken.

Der Richter gibt vor, Recht zu sprechen im Namen des Volkes.
Der Polizist hat dafür zu sorgen, daß keinem genommen wird, was ihm gehört.
Der Arzt soll verpflichtet sein seinem ärztlichen Auftrag zum Wohle der Kranken.
Wenn der Richter die Rechtlosen rechtloser macht und die mit allen Rechten Ausgestatteten aufgrund ihrer Vorrechte

---

schont; wenn der Polizist die Ungeschützten und Verfolgten verfolgt und die Geschützten vor den Schutzlosen in Schutz nimmt; wenn Ärzte Kranke, statt gesund zu machen »arbeitsfähig« erklären, Arbeitsunfähige gesund schreiben und vorzeitig Rentenreife als nicht rentenberechtigt einstufen, wenn sie ihre Kunst nicht vorrangig zur Gesunderhaltung des einzelnen Kranken, sondern zum Wohl der Industrie anwenden . . ., spricht man von Klassengesellschaft.

»Schwarze Listen«, Haftbefehle, Urteilsbegründungen und selbst ärztliche Gutachten können Beweisstücke für das Vorhandensein einer Klassengesellschaft sein.

Wer erschlug den Demonstranten Rüdiger Schreck?[*]

München, Ostermontag 1968. 2000 Demonstranten blockieren, wie in zahlreichen anderen Städten der Bundesrepublik, die Auslieferung der Springer-Zeitungen. Als Antwort auf die kontinuierliche Hetze von »Bild« (z. B. mit Schlagzeilen wie »Störenfriede ausmerzen«) und »BZ« gegen die Studenten, die im Mordanschlag auf Rudi Dutschke in die Tat umgesetzt worden war.

Zwei Tage später erfährt die Öffentlichkeit von zwei Todesopfern, die die Demonstrationen gefordert haben. Der Fotoreporter Klaus Frings und der Student Rüdiger Schreck wurden gegen 21 Uhr – fast zur gleichen Zeit – am Ostermontag tödlich verletzt. Noch bevor Zeugenvernehmungen stattfinden, bezeichnen Polizeisprecher und Staatsanwaltschaft Demonstranten als Täter; die tödlichen Verletzungen sollen in beiden Fällen von Steinwürfen stammen.

Unter der Schlagzeile: »Liefert den Täter aus!« schreibt »Bild« der Polizei den Täterkreis vor: »Immer mehr deutet darauf hin, daß Kommunisten die Terror-Aktionen gesteuert haben.«

»Opfer gesteuerter Terror-Aktionen, für die sich der SDS nicht zuletzt den Angehörigen dieser Toten gegenüber zu verantworten haben wird«, stellt die CSU-Landesleitung in einer Erklärung fest, und: »Wieder haben die Gewalttätigkeiten der Ostertage ein Todesopfer gefordert, erschreckend ist erneut deutlich geworden, wohin Terror und Gewalttätigkeiten führen. Nun muß endlich Schluß sein . . .«, so Rainer Barzel anläßlich des Todes von Schreck an die Adresse der Demonstranten.

Die anderen Parteien warteten mit ähnlichen Erklärungen auf; und ein Großteil der Studenten fühlte sich – besonders nach dem Tod von Schreck, der nicht mehr mit einem zufälligen Versehen entschuldigt werden konnte –, betroffen und mitschuldig. So bekannte sich der Liberale Studentenbund in einer Erklärung zur »Mitverantwortung am Tod von Frings und Schreck«.

[*]In Zusammenarbeit mit Reiner Taudien.

96

Allgemein entstanden – vor allem unter politischen oder halbpolitisierten studentischen und nichtstudentischen Gruppen, die sich vielfach erstmalig solchen Aktionen angeschlossen hatten –, Unsicherheit und Zweifel an der moralischen Legitimation derartiger Demonstrationen. Die Staatsgewalt hatte die Toten, die sie zur Eindämmung der wachsenden Unruhe brauchte, und mit denen sie Benno Ohnesorg und Rudi Dutschke glaubte aufrechnen zu können. Der Schuldige am Tod des Fotografen Klaus Frings ist bis heute unbekannt. Die Ermittlung wurde eingestellt. Und nach über einjährigem »Ermittlungsverfahren gegen Unbekannt wegen Verdachts des Mordes oder anderem zum Nachteil des Studenten Rüdiger Schreck« glaubte die Münchener Staatsanwaltschaft am 24. 4. 1969 auch den zweiten Fall zu den Akten legen zu können: »Da der Täter nicht festgestellt werden konnte und weitere Ermittlungsmöglichkeiten nicht mehr gegeben sind, war das Ermittlungsverfahren einzustellen«, so Münchens Erster Staatsanwalt Werner Jung an den Bruder des Getöteten, Reinhard Schreck.

● Über die Tat heißt es im Einstellungsbeschluß: »Der Tod ist ausschließlich von einer durch einen Demonstranten geworfenen Holzbohle verursacht worden.«

● Über den Täter: »Ein Demonstrant, der ... auf einem Gerümpelhaufen stand« und »eine vierkantige, fünfzig bis siebzig Zentimeter lange Holzbohle aus der Hüfte heraus warf.«

Der Bruder des Getöteten, Reinhard Schreck, jedoch kam aufgrund eigener umfangreicher Ermittlungen, die ihn bisher 7000 Mark gekostet haben, zu der Überzeugung, daß diese Deutung des Staatsanwalts nicht stimmt. Weder der Täterkreis, noch die Tatwaffe sind nach seiner Ansicht zutreffend.

Reinhard Schreck ist im Besitz eines Films, der von einem Studenten in den fraglichen Minuten des damaligen Vorgangs gedreht wurde. Die Aufnahmen zeigen einen Mann, der mit einer Filmhandleuchte einen kräftigen Schlag in Richtung der Demonstranten ausführt. Er legt sein ganzes Körpergewicht in diesen Schlag hinein. Das Zielobjekt der Handlampe ist auf dem Filmstreifen nicht mehr zu sehen, doch zeigen die Bilder deutlich, daß es sich genau um jene Stelle auf der Barerstraße handelt, auf der Rüdiger Schreck

**damals getroffen zusammenbrach. Ort und Zeit werden von
der Staatsanwaltschaft nicht bestritten.**

Der Bruder des Getöteten ist dieser Spur in langwierigen
Recherchen nachgegangen und hat herausgefunden, daß
zum gleichen Zeitpunkt an der gleichen Stelle ein Filmtrupp
der Polizei im Einsatz war. Polizeiführung und Staatsanwaltschaft, von ihm ersucht, diesen wichtigen Anhaltspunkt
bei ihren Ermittlungen mit zu berücksichtigen, oder ihm
zumindest die Namen der Beamten vom Filmtrupp mitzuteilen, wiesen dieses Ansinnen zurück; der Schlag könne ja
auch von einem Beleuchter eines Fernseh-Teams, das zur
gleichen Zeit dort gefilmt hätte, ausgeführt worden sein.

Im Verlauf einer sieben Monate während Korrespondenz
mit der Polizeibehörde, der Staatsanwaltschaft und Oberbürgermeister Vogel wurde Reinhard Schreck lediglich zu-
gesagt, »sein Vorbringen zu prüfen«. Ergebnis der »Prü-
fung«: Von Polizeipräsident Schreiber erhielt er die ab-
schließende Auskunft: »Für die Ermittlungen ist die Staatsanwaltschaft München I zuständig.« Die wiederum läßt ihn
über den Ersten Staatsanwalt Jung wissen: »Wir haben von
der Polizei keine Angaben darüber, wer am Ostermontag
beim Polizeifilmtrupp im Einsatz war.«

Indessen ließ der Staatsanwalt ganze Polizeihundertschaf-
ten vernehmen und sich von Fall zu Fall seine Tatversion,
wonach Rüdiger Schreck »ausschließlich durch eine Holzbohle« getötet wurde, bestätigen, obwohl diese ominöse
Holzbohle nie gefunden wurde . . .

Zeugenaussagen, die nicht in die Tatversion des Staatsanwalts passen, werden keine Beachtung geschenkt. Zum Beispiel den Aussagen des Bereitschaftspolizisten Zucker und
des Zeugen Verweyen. Beide haben zum fraglichen Zeitpunkt am Tatort einen Demonstranten stürzen und mit dem
Hinterkopf auf das Straßenpflaster fallen sehen. Staatsanwalt Jung versteift sich auf die Meinung, dieser Vorgang
könne mit dem »Tode Schrecks nicht in Verbindung stehen«; schließlich habe dieser am Hinterkopf keine Verletzung erlitten.

Jung störte sich auch nicht daran, daß nahezu alle Bohlen-
wurf-Zeugen aussagten, der von dem Wurfgeschoß Getroffene sei mit dem Hinterkopf hart auf die Straße aufgeschla-
gen. Aus dem Polizeibericht vom 20. 4. 1968 geht hervor,

daß zur Zeit, als Rüdiger Schreck zusammenbrach, ein weiterer Zivilist verletzt wurde. Dieser zweite Verletzte, der demnach der Polizei sogar namentlich bekannt sein dürfte, sei von einer aus südlicher Richtung geschleuderten Bohle am Kopf getroffen worden. In Staatsanwalt Jungs Einstellungsbescheid wird dieser Vorfall mit keiner Silbe erwähnt. Wenn jedoch tatsächlich ein bisher unbekannter zweiter Demonstrant durch eine fliegende Holzbohle verletzt wurde, bringt gerade diese Version den Tod Schrecks in eine direkte Verbindung zum Schlag mit der Filmleuchte.

Peinlich bemüht, Überlegungen in dieser Richtung auszuschalten, würzt Staatsanwalt Jung seinen Einstellungsbescheid statt dessen mit emotionellen Redewendungen (»aufgeputschte Masse«, »aufgehetzte Masse«, »außerordentliche Gefährlichkeit einer zu Gewalttätigkeiten neigenden Masse«), die den Verdacht seiner Voreingenommenheit nachdrücklich unterstreichen. Weiter unterstellt der Staatsanwalt in seinem Einstellungsbescheid zahlreichen zivilen Zeugen, sie hätten ihre Angaben zum Teil nur in dem Bestreben gemacht, die Polizei zu belasten. Der Student Wilhelm Gerl, der diesem Zeugenkreis zugeordnet wird, hatte u. a. ausgesagt: »Ich habe nie gesehen, daß Demonstranten gegen Demonstranten warfen, habe aber beobachtet, daß bei dem stürmischen Vorgehen der Polizei geschlagen wurde und daß dabei Demonstranten zu Boden stürzten.«

Reinhard Schreck hat Gerl und auch den Studenten Bartsch aufgesucht. Sie gaben ihm folgende schriftliche Erklärung:

Bartsch: »Bei der zweiten Vernehmung deutete ich darauf hin, daß die Polizisten mit den Füßen in die Demonstranten sprangen. Der vernehmende Beamte unterstellte, daß diese Aussage unwahr sei.«

Gerl: »Die Tatsache ist, daß meine Aussage durch ihre Methoden (der Ermittlungsbeamten) beeinflußt wurde.«

Über diese sonderbaren Ermittlungsmethoden hinaus verstärkte sich Schrecks Verdacht, daß es bei dem Einstellungsbeschluß nicht mit rechten Dingen zugegangen sei, aufgrund einer Feststellung im Obduktionsbefund.

● Im Sektionsprotokoll des Krankenhauses ist eine »kreisrunde, drei Zentimeter im Durchmesser haltende, mehrere Millimeter breite, blaßrote Hautverfärbung über dem rechten Brustmuskel« vermerkt. Staatsanwalt Jung deutet im Einstellungsbeschluß diese Brustverletzung unbekümmert als »Folgeerscheinung der durchgeführten Wiederbelebungsmaßnahmen«. Die Klinik indes, in der Rüdiger Schreck damals behandelt wurde, teilte mit, es seien überhaupt keine Wiederbelebungsversuche angestellt worden; im übrigen würden Wiederbelebungsversuche auch keinen Abdruck an der Brust verursachen könne, da sie in der Klinik stets oral durch Atemmaske vorgenommen würden. Reinhard Schreck führt diesen Hauteindruck auf der Brust auf einen Stoß mit dem Stiel der Filmhandleuchte zurück, dessen Durchmesser etwa drei Zentimeter beträgt. Tatsächlich zeigt der Film unmittelbar vor der Schlagszene ein schwer überschaubares Handgemenge, in dessen Verlauf ein Stoß mit dem Stiel des Gerätes erfolgt sein könnte.

● Die Tatsache, daß ihm bis heute die Einsicht in das Film- und Fotomaterial der Polizei verweigert wird, das die damalige Situation, unter seiner Mithilfe aufhellen könnte, und das völlige Ignorieren des Tatverdächtigen vom Filmtrupp durch die Staatsanwaltschaft stimmen Reinhard Schreck mißtrauisch. Kriminalbeamter Fliese wies ihn mit den Worten ab: »Die Filme sind nicht da, um Ihre Neugier zu stillen!«

● Sogar der Überlassung von Ermittlungsunterlagen an seinen Anwalt standen nach Auffassung des Münchener Generalstaatsanwaltes Lossos vom 9. 7. 1970 »ebenso wie der Anfertigung von Ablichtungen gewichtige Gründe entgegen«.

● Staatsanwalt Jung überließ Reinhard Schreck vorsorglich nur Obduktionsbilder jener Verletzungen, die laut Einstellungsbeschluß nicht tödlich waren. Schreck, der eine Wiederaufnahme der Ermittlungen erzwingen will, braucht hingegen sämtliche Obduktionsbilder für weitere gerichtsmedizinische Gutachten, die er beim Westberliner »Institut für Gerichtliche und Soziale Medizin« und bei einem Leipziger Spezialisten bestellte. Generalstaatsanwalt Lossos rechtfertigt die Abblockung durch die Polizei und Justiz mit den Worten: »Weil nicht auszuschließen ist, daß Schreck mit Kreisen in Verbindung stehen könnte, unter denen auch der Täter zu suchen wäre.«

● Ein hoher Beamter aus dem Münchener Polizeipräsidium

deutet den Spruch seines Chefs so: »Auch die Unterlagen und Gutachten im Fall Lübke kamen schließlich aus der Zone.«

Weil die Staatsanwaltschaft Vernehmungen und Ermittlungen erwiesenermaßen einseitig durchführte, einen möglichen Tatverdächtigen weder ausfindig machte (was ihr kaum Schwierigkeiten hätte bereiten dürfen), noch verhörte; bewußt oder unbewußt den Täter von vornherein auf Demonstrantenseite sah; weil keine Zeit zu verlieren ist, wenn der wirkliche Täter noch ausfindig gemacht werden soll, jedoch eine Wiederaufnahme des Ermittlungsverfahrens nicht in Aussicht gestellt wurde; weil Staatsanwaltschaft nicht Volksanwaltschaft ist . . ., haben wir uns kurzfristig Amt und Aufgabe entliehen:

Zuerst befragen wir die von Staatsanwalt Jung als Kronzeugen angeführten Polizisten ein zweites Mal. Und zwar als »Sonderkommission 3«, die »neue Ermittlungen im Fall des getöteten Demonstranten Schreck« aufnimmt. Die Gespräche wurden jeweils im Beisein eines Rechtsanwalts mitstenografiert.

Auf Polizeihauptwachtmeister *Teucher* stützt Jung im Einstellungsbescheid seine Holzbohlen-Version: Dieser habe gesehen, »daß der Zivilist (angeblich Schreck) durch eine aus süd- bis südöstlicher Richtung geworfene vierkantige Holzbohle am Kopf getroffen wurde und daraufhin zu Boden stürzte«. Unser erster Gesprächseindruck von dem Zeugen: Teucher scheint damals der Suggestivbefragung des Ermittlungsbeamten erlegen zu sein. Dem vermeintlichen Kommissar der »Sonderkommission« räumt Teucher auf Befragen ein: »Ja, ob das eine Bohle war? So genau habe ich das bei dem Tumult nicht gesehen, irgendein Gegenstand war's, nicht wahr?« Er lenkt von dem »Gegenstand« ab: »Soweit ich mich erinnern kann, ist aber weniger der Gegenstand Schuld gewesen (am Tod – d. Verf.), sondern mehr das Umfallen.«

Kommissar: »Auf welche Stelle ist er gefallen?«

Teucher: »Auf den Hinterkopf.« Rüdiger Schreck hatte laut Sektionsergebnis am Hinterkopf keine Verletzung. Der Obduktionsbefund und auch Jung in seinem Einstellungsbescheid sagen eindeutig, daß die tödliche Verletzung Rüdiger Schreck an der linken Schläfe beigebracht wurde. (Auch fünf der sechs Polizisten, die Jung für die Holzbohlen-Version als Kronzeugen anführt, schlossen bei ihrer Vernehmung eine Verletzung an der linken Schläfe aus.)

Dann kommt Polizeihauptwachtmeister Teucher auf Befragen auf den Vorfall zu sprechen, der in keinem Vernehmungsprotokoll erwähnt wurde, jedoch auf dem Filmstreifen des Studenten festgehalten ist. Teucher: »Es war kurz bevor der eine mit dem Kopf aufschlug, da wollten uns die Demonstranten das Seil, mit dem wir einen Keil in sie rein treiben wollten, um die Ausfahrt freizubekommen, entreißen. Da haben also die Kollegen vom Filmtrupp das gefilmt, unmittelbar an der Absperrung. Und da gab's ein Hinundhergerangel, da hat dann auch einer hingelangt. Da ist die Filmleuchte nachher auf dem Boden gelegen, und da hat man sie nachher auch gefunden ... Die (Polizisten und Demonstranten) haben sich praktisch gegenübergestanden, und da war das mit dieser Filmleuchte.«

Polizeimeister *Brandl* war Gruppenführer beim Ostereinsatz: »Ich war der Polizeibeamte, der dem Mann (dem Demonstranten) am nächsten stand.« Eine Bohle, von der Schreck getroffen worden sein soll, sah Brandl jedoch nicht. Er berichtet uns: »Ich dachte zuerst, es sei ein Stein. Der Demonstrant ist jedenfalls direkt vor meinen Augen mit dem Kopf auf das Straßenpflaster geschlagen, daß es sich anhörte, als sei er mit einem Prügel oder mit einer Keule auf den Kopf geschlagen worden. Der taumelte von vorne auf mich zu – ich mußte noch zur Seite springen – und er brach vor mir zusammen.«

Über die allgemeine Lage erzählt Brandl: »Also, Schlagstock war frei. Das steht also außer Frage. Obwohl ich selbst, soweit ich mich erinnern kann, überhaupt keinen geschlagen habe mit dem Gummiknüppel. Ich habe nur mal mit dem Fuß auf einen geschlagen, während dieser Sache mit dem Seil.«

Kommissar: »Haben Sie anschließend noch irgendeinen Tumult bemerkt?«

Brandl: »Ja, ich wußte vorher nicht, daß da ausgeleuchtet wurde, und daß unser Filmtrupp da war. Aber da ist plötzlich der Scheinwerfer, der die ganze Zeit geleuchtet hat, der ist auf einmal in hohem Bogen davongeflogen. Wo er hingeflogen ist, unter welchen Umständen und aus welchem Grund, das weiß ich nicht. Jedenfalls, danach war's wieder dunkel. Der Beleuchter war ja unmittelbar in meiner Nähe, so drei bis vier Meter von mir. Das war, kurz bevor der Demonstrant zu Boden ging.«

Er berichtet noch einmal, »von dem ganz dumpfen, gräßlichen Aufschlag mit dem Kopf. Als wenn man halt mit einem Prügel auf einen Kopf einschlägt.« Erneut gibt er seinem Erstaunen über die angeblich geschleuderte Bohle Ausdruck: »Ich habe nirgends neben dem Schreck eine Bohle gesehen, ich habe keine Bohle gesehen . . . Ich habe nur gesehen, daß der Scheinwerfer auf einmal weg war; dann war die Leuchte weg; die ist also, ich weiß nicht, ist die geflogen oder hat's ihm einer aus der Hand geschlagen, oder *hat der damit geschlagen* . . .« (genau das ist die Frage, die von der Staatsanwaltschaft jeweils ausgeklammert wurde).

Brandl erzählt noch, wie sie sich nachher im Mannschaftswagen unter Kollegen über den Vorfall unterhalten haben: »Von einer Bohle hat da überhaupt keiner gesprochen. Nur von einem gräßlichen Geräusch. Da hab' ich zu meinen Kollegen gesagt, ›wenn der nicht draufgeht, dann freß ich einen Besen mitsamt der Putzfrau‹. So genau war dies, was ich gesagt habe.«

Über viele Umwege finden wir schließlich doch noch Namen und Telefonnummer des Kameramannes vom Polizeifilmtrupp heraus, der Ostermontag Dienst hatte.

Herr *Stelzl* gibt im Gegensatz zu den zuvor befragten Polizeibeamten nur widerwillig Auskunft.

Wir melden uns wieder mit »Sonderkommission 3« und sagen, es seien wegen der damaligen Osterunruhen noch ein paar »Absicherungen« vorzunehmen.

»War damals bei Ihnen am Filmgerät irgend etwas beschädigt?« fragen wir ihn. »Da war gar nichts beschädigt«, verteidigt sich Stelzl sofort, »wie kommen Sie dazu?«

Kommissar: »Auch an der Leuchte nichts?«

Stelzl (spontan): »Die Leuchte habe ich noch. Die ist unbeschädigt.« Sie hätten damals sehr bald neue Halogen-Filmleuchten bekommen, aber »diese Leuchte habe ich noch aufbewahrt und die Leuchte ist unbeschädigt«.

Kommissar: »Sind Sie denn von den Demonstranten damals erkannt worden?«

Stelzl: »Ja sicher. Wir waren ja das einzige Team, was zu dieser Zeit dort gefilmt hat, da war kein Fernsehen da zu der ganzen Zeit. Das wurde ja damals auch durchgegeben über Lausprecher: ›Sie werden von nun an von der Polizei gefilmt, usw.‹ Das war also etwa so zu dem Zeitpunkt, als der Demonstrant zu Boden ging. (Damit widerlegt der Polizeikameramann eindeutig die Angaben der Staatsanwaltschaft, die den Verdacht vom Polizeiteam auf andere Fernsehteams zu lenken versuchte, die angeblich gleichzeitig dort gefilmt hätten. Daß die Leuchte bei dem Schlag oder Wurf unbeschädigt geblieben sein soll, klingt unglaubwürdig!)

Im Gegensatz zu den Angaben der Polizeibeamten und im Widerspruch zur Szene des Filmstreifens, aus der klar zu erkennen ist, daß sich der Filmtrupp in unmittelbarer Nähe der Demonstranten befand, will Stelzl heute die »Feindberührung« nicht mehr wahrhaben. Kommissar: »Kamen Sie mal ins Gerangel mit Demonstranten? Versuchten die, Sie nicht schon mal bei der Arbeit zu behindern?«

Stelzl: »Ich weiß nur, wir hatten keinen Zwischenfall gehabt. Wir sind nie näher als acht Meter höchstens an die Demonstranten rangekommen. Wir hatten ja nie Berührung mit ihnen.«

Kommissar: »Ist bei Ihnen nie mal eine Vernehmung vorgenommen worden, Sie wissen, damals in der Sache Schreck?«

Stelzl (weiß sofort, wovon die Rede ist): »Nein, nie. Ich war ja auch nicht der Gruppenführer, Gruppenführer war der Oberbauer; ich war ja nur der Kameramann.« Er geht zur Offensive über: »Ich bin mir keiner Schuld bewußt! Ich sehe auch nicht ein, daß ich da irgendwelche besonderen Anstrengungen unternehme, mich daran zu erinnern! Wirklich nicht!«

Kommissar: »Wer war noch mal der Beleuchter damals?«

Stelzl (zögernd): »Das war . . . das war der Herr Viehhauser, aber der ist schon längst zwischenzeitlich in Pension gegangen.«

Kommissar: »Geben Sie mir vorsichtshalber doch mal seine Nummer.«

Stelzl (wird unruhig): »Ja, Augenblick. Aber Sie, der ist mit dem Herzen leidend, es ist also nicht gut, mit ihm darüber zu reden. Ich würde Sie also bitten, nicht anzurufen.«

Kommissar: »Ich rufe ihn heute abend ja auch nicht mehr an.«

Stelzl (versucht immer noch abzubiegen): »Nein, ich mein' überhaupt allgemein; der ist ja extra wegen dem Herzen ganz plötzlich so frühzeitig in Pension gegangen.« Nach nochmaligem Fragen kommt heraus, daß der Beleuchter Paul Viehhauser keineswegs »schon längst« in Pension gegangen ist, sondern gerade erst im Oktober. Kurz zuvor war in der Frankfurter Rundschau ein massiv-kritischer Bericht von Eckart Spoo über den Fall erschienen, in dem nachdrücklich von der Polizeiführung die Identifizierung des Beleuchters vom Polizeifilmtrupp gefordert wird. Vielleicht ist die so kurz darauf folgende Pensionierung auch nur ein Zufall . . .

Ob auch folgende Auskunft auf Zufall beruht, sollte auf jeden Fall in einem Wiederaufnahmeverfahren von einem unabhängigen Untersuchungsausschuß geklärt werden.

● *Kommissar:* »Sie haben den Schreck selbst nicht zu Boden gehen sehen?« – Stelzl: »Was für einen Schreck?« – *Kommissar:* »Den zweiten Toten.« – Stelzl: »Den zweiten Toten habe ich nicht zu Boden gehen sehen, natürlich nicht, aber ich habe ihn ja gerade kurz vorher gesehen und wollte in die Richtung filmen, aber zu dem Zeitpunkt gerade hat mir mein Beleuchter, Herr Viehhauser, kein Licht gegeben . . . *Da hat's also mit dem Kabel irgend was gegeben;* aber jedenfalls hat er kein Licht reingebracht. Und dann hat er gesagt, da tragen sie ihn ja schon raus. Wir dachten: Fall für uns erledigt! Zu dem Zeitpunkt haben wir ja nicht gewußt, daß er da irgendwie, ja Sie wissen's ja, dabei hops gegangen ist . . .« Wie zur Entschuldigung sagt er noch: »Ich als Kameramann habe ja mit der Kamera jede Menge zu tun gehabt, da konnte ich also nicht sehen, was neben mir und um mich herum passiert. Haben Sie schon mal eine Kamera bedient . . .?« (Der Grund des Lichtausfalls könnte durchaus der Schlag gegen Rüdiger Schreck gewesen sein.) Wir fragen ihn noch, ob er auch die Bohle gesehen hat, die da geflogen sein soll. Stelzl mißversteht diese Frage. Empört: »Ich, 'ne Bohle?«

● Sofort anschließend befragen wir den vorzeitig pensionierten Paul Viehhauser. Die Zeit ist zu kurz, als daß ihn Stelzl vorher noch hätte warnen können. Entweder ist Viehhauser von höherer Stelle aus bereits vergattert und vorgewarnt, oder er fühlt sich bisher unerkannt und auch von einer Sonderkommission unbehelligt; (lauernd): »Wie kommen Sie überhaupt zu meiner Nummer und zu meinem Namen?«

Kommissar: »Nun, über die Akten.«

Viehhauser (in dem Wissen, daß er bisher von den Ermittlungen verschont geblieben ist): »Ich werde vorerst keine Aussage machen!« *Kommissar:* »Dann werden wir Sie auf jeden Fall vorladen lassen.«

An diesem Punkt unserer Ermittlungen haben die zuständigen Behörden die Wiederaufnahme des »Ermittlungsverfahrens wegen Verdachts des Mordes oder anderem zum Nachteil des Studenten Rüdiger Schreck« wiederaufzunehmen. Die Behauptung der Staatsanwaltschaft, »weitere Ermittlungsmöglichkeiten« seien nicht gegeben, ist hinlänglich widerlegt . . .

Nach Veröffentlichung unserer Ermittlungen in »Konkret« und in der »Deutschen Volkszeitung« (und durch Initiative der »Humanistischen Union« und der Jahresversammlung des »Verbandes deutscher Schriftsteller«) unterzeichneten mehr als 1200 Bürger folgende Erklärung:

Erklärung:

Auf Grund der ermittelten Anhaltspunkte, die zur Klärung der Tatumstände des gewaltsamen Todes Rüdiger Schrecks während der Anti-Springer-Demonstration von Ostern 1968 führen können, fordere ich die Wiederaufnahme des Ermittlungsverfahrens und die Einsetzung einer unabhängigen Sachverständigenkommission zur Überprüfung des bisherigen staatsanwaltschaftlichen und polizeilichen Vorgehens.

Die Art und Weise wie der ungeklärte Tod des Studenten Rüdiger Schreck zu einer Diskriminierung der Demonstranten und ihres Anliegens mißbraucht wurde, hat in breitesten Kreisen der deutschen Öffentlichkeit Unbehagen hinterlassen.

Die Besorgnis verstärkte sich, als Tausende von Verfahren gegen einfache Demonstranten auf der Grundlage einer angeblich gesicherten Beweislage durchgeführt wurden, hinsichtlich des gewaltsamen Todes Rüdiger Schrecks jedoch das Vorliegen jeglichen Tatverdachts oder sonstiger Anhaltspunkte abgeleugnet wurde und ernsthafte Versuche vom Bruder des Getöteten, zur Aufklärung fundiert beizutragen, mit unsachlichen politischen Verdächtigungen abgetan wurden.

Die Aufklärung des gewaltsamen Todes von Rüdiger Schreck ist nicht nur im Namen der Gerechtigkeit, sondern auch im Interesse der Demokratie in unserem Lande notwendig.

Die Staatsanwaltschaft beugte sich dem Druck der Öffentlichkeit und nahm die Ermittlungen wieder auf, allerdings nur formal, wie die Begründung der kurz darauf erfolgten erneuten Einstellung bewies.

Der Münchener Journalist Heinz Rabbow recherchierte nach unseren Ermittlungen noch zusätzliches wichtiges Beweismaterial, das in »twen« erscheinen sollte. Jedoch durch die plötzliche Einstellung der Zeitschrift kam es nicht mehr zur Veröffentlichung.

Hier erstmals die wichtigsten zusätzlichen Beweismittel und Erkenntnisse von Rabbow, die endgültig zeigen, daß, falls es je zu einem Prozeß kommt, neben den Tätern auch die bayerische Justiz auf die Anklagebank gehört:

»... Es scheint, als gäbe es eine Menge Leute, die ein dringendes Interesse daran haben, daß er (der Täter) *nie* gefunden wird. Denn beim Fall Rüdiger Schreck geht es um Politik, um bayerische Politik ...«.

Die Aussagen dieser Polizisten (bei unseren Ermittlungen) zwangen die Staatsanwaltschaft, erstmalig in eine andere Richtung zu ermitteln, nämlich gegen den polizeilichen Filmtrupp, der während der Osterunruhen Beweismaterial gegen Demonstranten gesammelt hatte und jetzt unvermittelt unter dem dringenden Verdacht stand, Rüdiger Schreck mit einer Filmleuchte erschlagen zu haben.

Fast sah es nach einer sensationellen Wende aus, nach einem politischen Erdbeben. Denn ein als Täter entlarvter Polizist hätte eine sorgsam gehegte Ideologie zusammenstürzen lassen.

Aber die neuen Ermittlungen der Münchener Staatsanwälte waren rasch erledigt; wenige Wochen schon nach dem Wallraff-Artikel wurden sie erneut eingestellt, »da die weiteren

Ermittlungen . . . keine Anhaltspunkte ergaben«, formulierte Oberstaatsanwalt Ludolph in seinem zweiten Einstellungsbescheid. So wurden im Januar 1971 die Ermittlungen zum zweitenmal eingestellt.

Was geschah am Ostermontag 1968? Um den Auslieferungswagen von »Bild« den Weg zu bahnen, ging die Polizei abends gegen 21 Uhr gegen die Demonstranten vor und drängte sie mit Seilen auf die Bürgersteige der Barerstraße. Warum es nötig war, die »Bild«-Wagen durch die voll belagerte Barerstraße zu leiten, warum sie nicht eine der fast freien Nebenstraßen benutzten, ist der erste ungeklärte Punkt. Wie Zeugen beobachteten, saßen auf einem Balkon der Barerstraße Münchens Oberbürgermeister Vogel und Bayerns Innenminister Merk (CSU). Die beiden obersten Verantwortlichen der Münchner Stadtpolizei beziehungsweise der bayerischen Bereitschaftspolizei durften so Zeuge der Kraftprobe werden . . . Als Kronzeugen für ihre Bohlentheorie fand die Staatsanwaltschaft den Münchner Kaufmann Friedrich Sedlmayr: »Als einziger sah der Zeuge Sedlmayr den Täter, einen 23 bis 25 Jahre alten Demonstranten.« Dieser habe auf einem Gerümpelhaufen gestanden und während des Kampfs um das Absperrseil »eine vierkantige, 50 bis 70 cm lange Holzbohle aus der Hüfte heraus« geworfen. »Die Holzbohle . . . traf einen Zivilisten an der linken Stirnseite.«

Diese Aussage ist von entscheidender Bedeutung für die Theorie der Staatsanwaltschaft. Was Herr Sedlmayr gesagt haben soll, hat er in Wirklichkeit nicht gesagt. Rüdiger Schreck hatte tatsächlich, das wurde im Krankenhaus festgestellt, eine beulenartig geschwollene Schürfverletzung an der linken Schläfe. Deshalb war er für die Staatsanwaltschaft, die sich krampfhaft um Beweise für ihre Bohlentheorie bemühte, so wichtig, daß ihr Kronzeuge bestätigte, die Bohle haben einen Zivilisten »an der linken Stirnseite« getroffen.

Wie diese Aussage zustande kam, schildert Herr Sedlmayr dem Bruder des Getöteten:

. . . »Fest steht, daß ich gesehen habe, wie ein Mann, der Zivilkleidung trug, eine Bohle schleuderte, und daß ein anderer Mann, ebenfalls in Zivil, von dem Wurfgeschoß am Hinterkopf getroffen wurde.«

. . . Das Auftreffen am Hinterkopf verfälschten sie (die Ermittlungsbeamten) zu ». . . wurde an der linken Stirnseite getroffen«.

Sedlmayr: »Ich habe bei meiner damaligen Vernehmung nicht gewußt, daß diese Einzelheiten eine Rolle spielen. Deshalb habe ich auch nicht darauf bestanden, daß alles so zu Protokoll genommen wurde, wie ich es tatsächlich gesehen hatte. Ich war in dem Glauben, es stünde fest, daß es Rüdiger Schreck war, der von der Bohle getroffen wurde.« . . .

Aber war der Getroffene wirklich Rüdiger Schreck? Gab es nur einen Getroffenen? Gab es mehrere? Gab es vielleicht nur einen, aber dieser eine war nicht Rüdiger Schreck? . . .

Der erste Staatsanwalt Jung: »Den Namen kann ich nicht sagen. Es wurde jemand später verletzt, das heißt verletzt ist übertrieben – getroffen.« Warum er diesen unbekannten Verletzten nicht in seinem Einstellungsbescheid erwähnt habe, obwohl doch wesentlich unwichtigere Beobachtungen aufgeführt wurden? »Darauf kam es nicht an!«

Weil uns die Geheimnistuerei um den unbekannten Verletzten immer merkwürdiger vorkommt, fragen wir auch Oberstaatsanwalt Ludolph, der für die Wiederaufnahme und Wiedereinstellung der Ermittlungen verantwortlich zeichnete. Er sagt: »Das ist mir nicht bekannt.« . . . Wir fanden nicht nur den unbekannten Verletzten, sondern er berichtete uns auch Erstaunliches. Daß er nämlich etwa zur gleichen Zeit und etwa an der gleichen Stelle wie – angeblich – Rüdiger Schreck von einer Bohle am Kopf getroffen wurde. Damit gerät das Ermittlungsergebnis der Staatsanwaltschaft endgültig ins Wanken.

Bei dem so lange totgeschwiegenen Unbekannten handelt es sich um den Münchner Rechtsanwalt Hans-Robert Führmann, der am Ostermontag der Anti-Springer-Demonstration zugeschaut hatte und auf der Kreuzung Barer/Theresienstraße in der Zeit zwischen 21.15 Uhr und 21.30 Uhr von einer Bohle am Kopf getroffen wurde und bewußtlos zusammenbrach. Von dem Bohlenwurf trug er eine leichte Kopfverletzung davon, die er jedoch nicht behandeln zu lassen brauchte.

Obwohl dieser wichtige Zeuge von der Polizei vernommen

wurde, ist von ihm in den 38 Seiten langen Ermittlungsbe-
scheiden nicht mit einer Silbe die Rede.

... Dr. Pajkuric, einer der vier Anwälte Reinhard Schrecks:
»Das ist ein ganz entscheidender Punkt, ich messe ihm unge-
heuer große Bedeutung bei. Wäre es zu einem Prozeß gekommen, dann hätten wir mit der Aussage von Rechtsanwalt Führmann alle Zeugen umgeschmissen. Die Zeugen
müßten jetzt alle noch einmal vernommen werden ...«

... Führmann: »Ich weiß, daß die Polizei mit den gleichen
Hölzern zurückgeworfen hat ... Ich nehme an, daß ich von
der Seite der Demonstranten getroffen wurde, aber das
kann ich nicht mit Sicherheit sagen ... Ich habe eine Festle-
gung bei der Polizei vermieden, denn es ist durchaus möglich, daß mich ein Holz beim Zurückwerfen von der Polizei
getroffen hat.«

Der Zeuge Führmann sagt außerdem: »Die Polizei wollte
mich auf eine Aussage festnageln, die für die Polizei günstig
ist ... Ich habe ausgesagt, was ich wußte, die Polizei wollte
das ein bißchen korrigieren in ihrem Sinn. Das habe ich nicht
bestätigt.« ...

Auch ob die Lampe, die damals im Einsatz war, unbeschädigt blieb, ist nicht eindeutig geklärt. Angeschaut jedenfalls
hat sich der Staatsanwalt die Lampe nicht. Er zog bei seinen
Ermittlungen den bequemeren Weg vor: er fragte die Polizei. Staatsanwalt Jung: »Der Oberbauer sagt, sie sei unbeschädigt ...«

Danach stellen sich zusätzliche Fragen

● Warum konnte Polizeimeister Brandl bei der Vernehmung durch den Staatsanwalt laut zweitem Einstellungsbescheid unwidersprochen behaupten, daß die Beamten des
Filmtrupps »zur Tatzeit nicht in seiner Nähe waren.« Wallraff hatte er von unserem »Filmtrupp« erzählt.

● Warum ist im zweiten Einstellungsbescheid plötzlich
nicht mehr die Rede von der Aussage Brandls gegenüber
Wallraff »... oder hat der damit geschlagen?« Bei der
Staatsanwaltschaft liest man nur noch: »... er nehme an,
daß sie ihrem Träger aus der Hand geschlagen worden
sei.« ...

Die ringförmige Brustverletzung Rüdiger Schrecks könnte
mehrere Tage alt sein – aber sie könnte ebensogut der
Stoßabdruck eines Filmleuchtstiels sein. Denn es gibt Leuch-

ten, deren Griffdurchmesser ziemlich genau drei Zentimeter beträgt. Das gilt auch für die auf dem Film abgebildete Lampe.

Doch derlei Erwägungen wußte die Staatsanwaltschaft zuvorzukommen. Sie behauptet in einem ersten Einstellungsbescheid, es handle sich um »Folgeerscheinungen der durchgeführten Wiederbelebungsmaßnahme«.

Wiederbelebung? Reinhard Schreck hat sich in zwei ärztlichen Gutachten aus beiden Krankenhäusern bestätigen lassen, daß Wiederbelebungsmaßnahmen nie stattgefunden haben . . .

Wir fragten Oberstaatsanwalt Ludolph, wie er die rätselhafte Verletzung, die so gar nicht zur Bohlentheorie paßt, heute einschätzt. Herr Ludolph hat da eine Theorie: »Das ist eine gerötete Stelle, mein Gott noch mal! Der kann einen Pickel aufgekratzt haben. Das muß ja gar nicht am selben Tag passiert sein. Wie soll ich das aufklären?!«

. . . Reinhard Schreck und seine Anwälte bemühen sich seit nunmehr drei Jahren um die Genehmigung für eine Auswertung der Ermittlungsakten sowie der unzähligen Fotos und Filme vom Ostermontag. Aber bislang ohne Erfolg . . .

»Das ist mir in meiner langjährigen Praxis noch nicht vorgekommen.« Eine ihrer Absagen an Reinhard Schreck kommentierte die Staatsanwaltschaft mit der unverschämten Begründung: »Dies liegt auch im Interesse des Beschwerdeführers selbst, der ebenfalls bestrebt ist, daß der Schuldige noch ermittelt wird.« (Oberstaatsanwalt Mayer) . . .

Darüber hinaus, Reinhard Schreck könne mit den Tätern unter einer Decke stecken. Rechtsanwältin Heidemarie Stehfest: »Das ist ja absurd. Wenn das zuträfe, wäre es völlig unsinnig von uns, auf eine genaue Aufklärung zu drängen.«

. . . Warum wurde der Polizei-Beleuchter Viehhauser vorzeitig pensioniert, und zwar kurz nachdem die »Frankfurter Rundschau« in aller Öffentlichkeit eine Identifizierung des Polizei-Filmtrupps verlangt hatte?

Erster Staatsanwalt Jung sagt: »Nur um dem Vorwurf zu begegnen, ich hätte nicht alles getan, nach Vorstellungen des Herrn Schreck, kann ich keine Steuergelder ausgeben.«

Und Generalstaatsanwalt Lossos hat kein Verständnis dafür, daß wir »diese olle Karmelle ausgerechnet heute wieder aufwärmen wollen«.

Gegengeschichten zur Bildzeitung

> *Manipulation:* Eine ungeschulte und politisch un-
> mündig gehaltene Masse dorthin steuern, wo man sie
> hinhaben will, ohne daß sie in der Lage ist, zu beur-
> teilen, ob dies für sie vorteilhaft ist oder nicht.

**»Jedem das Seine« – Warum »Bild« eine schöne Geschichte
erfand –**

Es ist bekannt, daß »Bild« Nachrichten einseitig herausstellt
und verfälscht, Fakten unterschlägt und verdreht, um Massen unmündig zu halten und zu verdummen, damit die so
Verdummten am Ende noch an ihrer eigenen Unterdrük-
kung Spaß haben. Nach welchen Methoden Springers
»Bild« gerade den unterprivilegierten Schichten, die verstärkt der Aufklärung bedürfen, seine Meinung aufzwingt,
stellt sich bei einem Test heraus: »Bild« manipuliert nicht
nur Nachrichten, es erfindet welche, auf daß ihr Weltbild
verbreitet wird.
Am Montag, dem 13. April 1970, wartete »Bild« mit dem
Hauptaufmacher auf Seite 1 auf: »Heute bin ich mal der
Chef«. Darüber: »Für einen kleinen Angestellten wurde ein
Traum Wirklichkeit, den Tag für Tag Millionen träumen.«
Damit die so Angesprochenen nicht auch ihre Chefwünsche
in den Tag hinein zu träumen wagen, wird in der Unterzeile
bereits vom Scheitern des Experiments berichtet: »Aber am
Abend hatte er die Nase voll.«
Der angebliche Sachverhalt wird so dargestellt: »Der Fahrer
Johann Dürkschnieder (54) aus Stukenbrock bei Pader-
born, war für einen Tag Chef von 320 Angestellten und
mußte feststellen: »Gar nicht so einfach, Chef zu sein.«
Im nächsten Satz wird von der Chancengleichheit berichtet,
nämlich daß beide ›mal klein und gleich angefangen haben‹
und aus dem einen aufgrund von mehr Fleiß oder mehr
Können – das wird suggeriert – der Chef wurde und aus dem
anderen halt nur der »Johann«. »Vor 40 Jahren hatten stolz
zwei Stifte in der Gießerei ihre Lehrverträge unterschrie-

ben. Aus dem einen wurde der Chef des Unternehmens. Der andere, Johann Dürkschnieder, wurde einer seiner Fahrer«.
Aus Anlaß dieses zufälligen »Doppeljubiläums« läßt »Bild« nun die Probe aufs Exempel machen: *Ist die Welt zu Recht in die da oben und die da unten, in Reiche und Arme, Mächtige und Ohnmächtige unterteilt?* »Als die beiden Männer jetzt ihr Dienstjubiläum feierten, verkündete der Chef vor der Belegschaft: Für einen Tag wollen wir die Rollen tauschen. Johann, spiel du mal Chef.«

Soll der »Johann« jetzt doch – stellvertretend für alle Nicht-Chefs – unter Beweis stellen, ob er den schweren Aufgaben eines Chef-Daseins überhaupt gewachsen ist und Unternehmer und Unternommene austauschbar sind. Was läßt »Bild« so einen Untergebenen erst einmal tun: »Johann Dürkschnieder ließ sich das nicht zweimal sagen. Minuten später saß er am Schreibtisch des 60jährigen Firmeninhabers Anton Brechmann« – und, so »Bild«, statt zu arbeiten »rauchte er eine dicke Zigarre«. Damit nicht genug: »Er ließ sich dann zum erstenmal in seiner Laufbahn während der Arbeit eine Tasse Kaffee kochen«. Die schönen Seiten des Chef-Daseins, »wovon Millionen Tag für Tag träumen«, läßt ihn »Bild« noch vollauf bewältigen.

Aber dann kommen wie in einem Alptraum die Pflichten auf Johannes Dürkschnieder zu, er versagt jämmerlich: Zuerst »wurde sein Gesicht immer länger«. Denn: »Plötzlich fingen drei Telefone gleichzeitig an zu klingeln. Sekretärinnen kamen zum Diktat, und er wußte nicht, was er diktieren sollte. Geschäftsfreunde mahnten fällige Aufträge an.« »Bild« läßt den »Chef auf Zeit« stöhnen: »So viel Anrufe habe ich mein Leben lang noch nicht entgegengenommen. Betriebsangehörige wollten einen Vorschuß. Sogar über Gehaltserhöhung sollte ich entscheiden. Dabei war ich selbst immer froh, wenn ich selbst genug in der Lohntüte hatte«. Die Rechte eines Chefs genießen kann er, aber bei den Pflichten läßt ihn »Bild« versagen. »Als es ans Zahlen geht, türmt er: »Fluchtartig verließ er das Chefbüro, als Rechnungen auf seinen Tisch flatterten, die sofort bezahlt werden sollten.«

Die Moral von der Geschichte, die »Bild« dem Leser aufdrängen will:
»Jeder steht da zu Recht, wo er steht; Klassenunterschiede

sind berechtigt; neide keinem Besitz noch Stand, er hat schwer daran zu tragen; sei glücklich, daß du nur der Johann bist.«

Diese Erkenntnis läßt »Bild« seinen ca. 12 Millionen Lesern durch seine Versuchsperson übermitteln: »Und am Abend, als sein Chef ihn nach Hause fuhr, sagte er erschöpft: ›Ich freue mich schon wieder auf morgen, wenn ich wieder den Lastwagen fahren kann. Vom Chef-Spielen habe ich die Nase voll‹.«

Damit könnte es genug sein. Die Absicht von »Bild« ist deutlich erkennbar. Der Test an sich ist absurd genug, ohne Einarbeitung kann keiner so einen neuen Job von heute auf morgen bewältigen.

Eine Fahrt an den Ort des angeblichen Geschehens zeigt jedoch, mit welchem Zynismus »Bild« Vorkommnisse und Verhaltensweisen erfindet, um Massen das sehen zu lassen, was »Bild« sie sehen lassen möchte. Die harmloseste Fälschung ist noch: Dirkschnieders Chef und Firmeninhaber Anton Brechmann hatte sein Dienstjubiläum schon vor drei Jahren.

Aber auch sonst stimmt an der Geschichte rein gar nichts. Der Test fand nicht statt, der Redakteur, der für den Artikel zeichnet – Pichel – war an dem betreffenden Tag überhaupt nicht am »Tatort«, der Springer-Fotograf, der aus Essen anreiste und die Fotos stellte, auf Dirkschnieders Frage »Und wer schreibt den Artikel?« . . . »Der ist schon geschrieben«. Der Bericht, der bei Springer unter »Vorproduktion« lief, ist wahrscheinlich ein Produkt des politischen Mixstudios aus Axel Cäsar Springers Hauptquartier, gestartet gegen Mitbestimmung und das Mündigwerden der Arbeiter. In einer Aktennotiz eines leitenden Springer-Mitarbeiters heißt es z. B. zur jetzigen Strategie des Hauses: ». . . So könne doch der klare Angriff gegen jeden Ansatz der erweiterten Mitbestimmung (von allen Seiten national und international beleuchtet) eine Zielrichtung sein . . .«

Zehn Minuten lang durfte Johannes Dirkschnieder an seinem Jubiläumstag für Springers »Bild« Chef-Sein demonstrieren. Dirkschnieder: »Kurz nach halb fünf, als die Angestellten Büroschluß machten – die Arbeiter haben nach drei Uhr Schluß –, der Betrieb stand still«. Eine attraktive Sekretärin aus einem Zweigwerk wurde entliehen und posierte für

»Bild«, indem man sie z. B. Dirkschnieder auf den Schoß setzte. Drei Telefone konnten überhaupt nicht schrillen, da im Chefzimmer nur zwei stehen.

Der mißbrauchte Jubilar, der nach 40jähriger Tätigkeit bei derselben Firma immer noch im Stundenlohn steht und zwischen 750 und 800 DM verdient, sich mit seinem Chef duzt, »aber natürlich nur, wenn keine Kunden dabei sind«, fühlt sich, seitdem er von »Bild« für dumm verkauft wurde, allenthalben verspottet: »Wo ich auch hinkomme, lacht man mich aus. ›Hallo, der Chef kommt, so dumm möchten wir auch mal sein‹.«

»Bild« – Dein Rächer und Helfer – Wie »Bild« die Bösen bestraft und die Guten belohnt –

»Die ›Bild‹-Zeitung ist die Zeitung der großen Vereinfachung, aber die Fähigkeit der Redakteure, in dieser Vereinfachung das Wesentliche zu sagen, scheint mir hochentwickelt zu sein.«
  Josef Hermann Dufhues, CDU-Bundestagsabgeordneter

»Stellenangebot 1971 – Mutti gesucht!« Mit dieser 15-cm-hohen Hauptaufmacherzeile auf Seite 1 widmete sich die »Bild«-Zeitung am 27. Januar 1971 einer der »erschütterndsten Zeitungsanzeigen dieser Tage«.

»Ein verzweifelter Vater hat das Inserat aufgegeben, um seine vier Kinder vor einem trostlosen Heimdasein zu bewahren.«

Grund, laut »Bild«: »Denn ihre leibliche Mutter Rita Z. (30) aus Wesel hat sie am 26. Oktober 1970 verlassen.« Als »Gewissen der Nation« stellt »Bild« die treulose Mutter, die so grob einem »Bild«-Leitspruch (»Die deutsche Familie ist in Ordnung, sie ist ganz und gar Familie«) zuwiderhandelte, an den Pranger:

»Ihr ist es gleichgültig, was aus Andrea (4), Udo (3), Britta (2) und Heiko (1) wird.«

»Bild« weiß von den Gefühlen der Frau zu berichten: »Es kümmert sie nicht, ob die vier Kinder nach ihr rufen und sich nach den Armen ihrer Mutter sehnen. Es ist ihr egal, ob ihre Kinder ohne Mutterliebe aufwachsen.«

Damit noch nicht genug: »Bild«: »Die herzlose Frau hinter-
ließ ihrem Mann einen Brief, in dem sie wörtlich schrieb:
›Ich erkläre mit dem heutigen Tage, daß ich an meinen
Kindern kein Interesse mehr habe und daß ich sie nie wiedersehen werde.‹«
Diesen, wie »Bild« eingesteht »kaum glaublichen Brief«,
läßt das Massenblatt den Ehemann Karl-Heinz Z. »auf dem
Wohnzimmertisch finden«. »Fassungslos las der blonde un-
tersetzte Mann diese Zeilen.« Und nachdem die Empörung
der rund 10 Millionen »Bild«-Leser genug angestachelt ist,
stellt »Bild« im nächsten Satz den wahren Schuldigen vor:
»Und kurze Zeit später tauchte ein türkischer Gastarbeiter
namens Ali bei ihm auf und sagte: Wenn du deine Frau
suchst – sie ist bei mir . . .«
Damit nicht der geringste Verdacht aufkommt, die Ehefrau
hätte am Ende Gründe haben können, ihren Mann zu verlassen, beschwört »Bild« durch die Aussage des Ehemannes
eine glücklich harmonische Eheidylle herauf: »Warum hat
sie das nur getan?, fragt er sich immer wieder. Wir waren
doch fünf Jahre lang glücklich verheiratet.«
Welche Absichten »Bild« mit so einer halbseitigen auf dem
Titelblatt aufgemachten Mitleid und Empörung weckenden
Einzelschicksals-Story bei seinen Lesern verfolgt, ist hinreichend bekannt. Die »Bild«-Zeitung, die nach außen hin
zwar mit allen Mitteln den Eindruck eines »Volksblattes« zu
erwecken versucht, sich intern jedoch als »exzellente Inter-
essenvertretung der Arbeitgeber« bekennt, und die planmä-
ßig durch sie Verdummten zynisch »Primitivos« nennt,
lenkt dadurch von den wirklichen politischen Problemen ab,
sie schafft es, daß der Arbeiter – immerhin lesen noch 50 %
der Arbeiter als einzige Tageszeitung »Bild« – seine Situation nicht als änderbar begreifen lernt, sondern als zufällig
und schicksalhaft. Als Urheber für seine Probleme, die ihm
in Krisenzeiten vielleicht sogar schon mal als Misere zugestanden werden, werden ihm nie die an ihm Profitierenden
vorgeführt, statt dessen Ausgebeutete wie er – oder noch
wirkungsvoller – Vertreter von Minderheiten oder Minderheiten an sich, wie demonstrierende Studenten oder
»Gastarbeiter«, auf daß er seine angestauten Ängste und
Aggressionen am falschen Platz abreagiert.
Unabhängig davon werden im vorliegenden Fall »Mutti ge-

116

sucht« die Gründe ausgespart, die eine derartige Ehe zum Scheitern gebracht haben könnten. Ausschließlich aus dem Blickwinkel des Ehemannes schildert »Bild« die Ehe. Weder wird versucht, gesellschaftliche Hintergründe, noch sonstige Voraussetzungen für das Scheitern der Ehe sichtbar zu machen.

Die Frau ist böse, »herzlos«, der wahre Schuldige der Türke. »Bild« appelliert an die alleinstehenden Frauen der Nation, dem unschuldig »mutti«losen Ehemann Mutter für seine »an-den-Bettstäben-rappelnden«, »wartenden«, »am-liebsten-den-ganzen-Tag-gestreichelt-werden-wollenden« Kleinen zu sein. »Die Richtige« braucht nur gefunden zu werden, und – dank »Bild« – wäre die Welt wieder in Ordnung.

Ich suchte die Akteure der »Bild«-Geschichte auf: Herr Z. in seiner Wohnung in Wesel. Er ist erst 30, sieben Jahre jünger, als »Bild« ihn Deutschlands unverheirateten, geschiedenen und verwitweten Frauen offerierte. Dafür ist seine Wohnung kleiner als ausgeschrieben: statt sechs sind es vier Zimmer.

Herr Z. spielt die Rolle, wie sie »Bild« für ihn geschrieben hat. Er spricht nicht von seiner Frau, sondern von der »Mutti«, die ihm, obwohl sie »keinen Grund hatte, und immer wunschlos glücklich war, mit dem Türken betrogen« hätte. Herr Z. ist bei der Sortierung der zahlreichen Bewerberinnenbriefe, die ihm »Bild« beschert hat. Von einem 18jährigen »anspruchslosen und hingebungsvollen Mädchen«, bis zur ausgereiften Studienrätin, die sich mit ihm, dem Arbeiter, sexuell nicht einlassen möchte, dafür jedoch ihre ganze Liebe den armen im Stich gelassenen Kleinen schenken will, hat er unter hundert Angeboten die freie Auswahl. Er erzählt, wie »Bild« ihn zur Redaktion nach Essen fuhr und ihn einen Tag lang mit Bewerberinnen aus ganz Deutschland telefonieren ließ und einen neuen Artikel »Die neue Mutti soll nie schimpfen« nachzog.

Herr Z.: »Seitdem das in der ›Bild‹-Zeitung war, würde ich unsere erste Mutti nicht mehr nehmen, selbst wenn sie auf den Knien angerutscht käme.« Herr Z. fühlt sich der Springer-Zeitung zu großem Dank verpflichtet: »Ich hatte an die geschrieben, daß die meine Frau aufstöbern. Die wollen jetzt noch zwei weitere große Berichte bringen. Und wenn

ich mich für eine entschieden habe, ganz groß über das
›Happy-End‹.«

Daß er für seine Frau nicht mehr der einzige gewesen sei,
sagten ihm Nachbarn, als er von einer seiner mehrmonati-
gen Montage-Arbeiten nach Hause gekommen ist: »Ich
hätte das nie im entferntesten bei meiner Frau für möglich
gehalten. Ich habe immer gedacht, die hat ja vier Kinder von
mir, die ist voll ausgelastet.« Er scheint seine Frau als Besitz-
gegenstand anzusehen: »Ich habe ihr, als ich es wußte, ihre
Kleider und sonstigen Sachen eingeschlossen und ihr den
Reisepaß abgenommen. Bei Verheirateten ist das ja kein
Diebstahl, habe ich mal gelesen. Die kriegt ihre Kleider
nicht wieder. Wissen Sie, was ich damit mache, ich schicke
sie in die Ostzone zu einer Tante, die ungefähr ihre Größe
hat.«

Herr Z. berichtet, wie sich seine Frau vor ihm versteckt hielt,
als »Bild« sich der Sache annahm. »Wir haben die beiden in
Dortmund aufgestöbert. In einer kleinen Änderungsschneiderei, in der der Türke arbeitete. – Also, ich versteh' es
nicht, daß man sich mit einem Ausländer und dann noch so
einem, einlassen kann, so einem schäbigen Kerl, der stotter-
te, hat einen kleinen Buckel, hat es mit den Nerven, er
wackelte mit dem Kopf so ab und zu. – Zusammen mit
einem Journalisten der »Neuen Welt«, der durch »Bild« auf
die Sache gestoßen war und eine noch mal so große Sache
bringen wird, haben wir sie nachts gestellt, Polizei gerufen,
die kamen mit Streifenwagen. Ich sage, da sind sie drin, über
die die »Bild«-Zeitung groß berichtet hat. Ich werde das nie
vergessen, den Anblick, als wir eindrangen. Ich sage zu den
Polizisten, der ist das. Ich sage, du hast das letztemal in
Deutschland Luft geholt. Wie die da hausten! Die hatten auf
einer Zwischendecke Matratzen liegen, wo sie zum Schlafen
mit Leitern raufkletterten. Das ist doch eine Sauerei, das
kann ich ruhig sagen, auf deutsch, da poppen die da oben
und waschen können sie sich nicht. Pfui Teufel, da könnte
ich ausspucken dafür. Da kommt meine Frau runter, da
habe ich nur gesagt, Rita, ich hätte dir alles zugemutet, du
warst eine hübsche Frau, aber unter so erbärmlichen Verhältnissen, wo du hier wohnst, das sind ja Zigeunerverhält-
nisse, Zigeuner wohnen ja besser . . . Ich beantrage, ich
lasse meiner Frau sämtliche Rechte für die Kinder abspre-

chen, die darf die nie mehr sehen . . . Die Genugtuung, die ich habe, ich will jetzt, daß meine Frau . . ., daß der Türke ausgewiesen wird; an 1. Stelle, der soll weg. Denn das ist eine Abschreckung für alle Ausländer.«

Frau Z. hält sich bei ihren Eltern in der Nähe der holländischen Grenze auf. Sie verläßt kaum das Haus, aus Angst von »Bild«- oder »Neue Welt«-Reportern neuerlich aufgespürt zu werden. (Ihre Aussagen wurden überprüft und durch eidesstattliche Erklärungen belegt.)

Die Frau, der ihre Kinder laut »Bild« »gleichgültig« sind und der es »egal ist, ob ihre Kinder ohne Mutterliebe aufwachsen«, wurde von »Bild« nie nach ihren Gefühlen und nach ihrer Meinung gefragt.

Frau Z.: »Man konnte unser Zusammenleben eigentlich schon lange nicht mehr als Ehe bezeichnen. Dreiviertel unseres Zusammenlebens war er ständig unterwegs auf Montage und wenn er mal da war, trank er meistens nachts in den Kneipen. Das 2. Kind war eigentlich schon kein Wunschkind mehr, aber da habe ich mich noch mit abgefunden, aber als dann nacheinander das 3. und 4. Kind kam, weil er nicht wollte, daß ich die Antibabypille nahm . . ., das 5. Kind war eine Frühgeburt, zum Glück, muß ich sagen. Er hat immer gedroht, er würde mir noch mehr Kinder andrehen, du bist schließlich meine Frau, hat er gesagt, dann kannst du wenigstens gar nicht mehr raus.

Mein Mann kannte den Türken, Herrn K., schon lange, bevor ich ihn kannte. Durch meinen Mann habe ich ihn kennengelernt. Ich hatte für seine Änderungsschneiderei Näharbeiten zu machen.

An dem Abend, als die Nachbarn meinem Mann über mich und Herrn K. berichteten, hat er mich in der Wirtschaft ›Hure‹ genannt und gesagt, er wolle mich nach Düsseldorf fahren und auf den Strich schicken. Er hat gesagt, ›Ich habe dich mit mehreren Frauen betrogen‹, das sei jedoch etwas ganz anderes, als wenn eine Frau so was machen würde. Er ging mit dem Brotmesser auf mich los, aber Leute in der Wirtschaft hielten ihn zurück.«

Sie berichtet über das Zustandekommen des laut »Bild« von »der herzlosen Frau hinterlassenen Briefes an ihren Mann«.

Frau Z.: »Von ›auf-dem-Wohnzimmertisch-hinterlassen‹, wie »Bild« das ausmalt, kann gar nicht die Rede sein. Ich arbeitete bereits in Bocholt, in einer Kleiderfabrik und wohnte im Hotel, als mein Mann mir nach der Arbeit auflauerte, mir die Tasche mit den Papieren wegriß und mich mit einem Totschläger – einer Spirale, die durch Knopfdruck heraussprang – zwang, zu schreiben, daß ich kein Interesse an meinen Kindern mehr hätte und sie nicht mehr wiedersehen wolle. Als ich mich zuerst weigerte, sagte er, ›da wollen wir doch mal sehen, ich mache die Kinder kaputt und dich auch.‹ Dann hat er mir noch einen Schuh ausgezogen und den Mantel mittendurch gerissen.

Spätestens bei der Scheidung werde ich versuchen, daß mir wenigstens zwei Kinder zugesprochen werden, welche ist mir egal.«

»Bild«, immer noch mit Abstand die meistgelesene Tageszeitung der Bundesrepublik, hat es mit seiner »Mutti-gesucht«-Aktion wieder einmal verstanden, zwar außerhalb des Gerichtssaals, aber nach Springer-eigenen Gesetzen Recht und Ordnung wiederherzustellen, zu bestrafen und zu belohnen in einer Art sich selbst regulierender Volksjustiz, in Form von Menschenjagd.

Frau Z. wurde aufgrund des »Bild«-Artikels zweimal erkannt und verlor ihre Stelle: »Anderthalb Monate hatte ich z. B. in Dortmunds teuerstem Hotel, dem ›Römischen Kaiser‹, wo die Zimmer zwischen 50 und 150 DM kosten, gearbeitet, als ich kurz nach 10 Uhr von der Hausdame zum Direktor gerufen wurde. Als ich reinkam, hielt er die »Bild«-Zeitung auf dem Tisch und schrie mich an: ›Sind das Ihre Kinder?‹ und da sage ich drauf, ob ich die »Bild«-Zeitung erst mal sehen dürfe. Ich habe mir nun die Fotos angesehen, lesen konnte ich in der Aufregung nichts und sage, ›ja, das sind meine Kinder.‹ Da sagt er: ›Das wäre eine Schweinerei, denn er hätte selber drei Kinder, er wüßte, wie das wäre, er würde die »Bild«-Zeitung sofort anrufen und er würde von meinem Lohn sofort eine Fahrkarte besorgen und mich in den nächsten Zug setzen. Als ich sagte, das ginge nicht so einfach, hat er gesagt ›innerhalb einer halben Stunde haben Sie Ihre Sachen gepackt und sind hier verschwunden.«

Ihr Freund, der Türke K., wurde ebenfalls zur Strecke gebracht. Herr K. seit 8 Jahren in der Bundesrepublik, ohne bisher straffällig geworden oder sonst mit der Polizei zu tun gehabt zu haben, sitzt in Dortmund seit der nächtlichen Festnahme in »Abschiebungshaft«. Eine Begründung seiner Inhaftnahme wurde ihm nicht mitgeteilt. Der zuständige Oberamtsrichter Hoyer erklärt auf telefonische Anfrage hin, zu »so einer prekären Angelegenheit« wolle er keine Stellungnahme abgeben. Im übrigen: »Ich weiß ja auch nichts Näheres, was nun im einzelnen gegen den Mann vorgebracht wird.«

Der Beamte vom Ausländeramt der Stadt Dortmund erklärt auf Befragen: »Die Ausweisung ist nur noch nicht durchgeführt worden, weil zur Zeit wegen des Streiks der Lufthansa keine technischen Möglichkeiten bestehen.«

Der einzige Paragraph des Ausländergesetzes der für die Abschiebung des Herrn K. herhalten könnte, wäre § 10, Ziffer 11: »Ein Ausländer kann ausgewiesen werden, wenn seine Anwesenheit erhebliche Belange der Bundesrepublik Deutschland . . . beeinträchtigt.«

Man sieht: Wenn »Bild« sich der kaputten Ehe des Herrn Z. gebührend annimmt, können daraus sehr bald »erhebliche nationale Belange« werden.

Während der Türke K. in seiner Zelle auf die Abschiebung wartet, hat »Bild«, solange die Sache noch »heiß« ist, ein »Happy-End« zu bieten. Wieder Seite 1, Schlagzeile »Du bist die Richtige!« Karl-Heinz Ziebell und seine neue Frau.«

»Bild« als vorsorgende Ehestifterin, die alte Ehe war zwar noch nicht geschieden, jedoch diesmal drückt »Bild« ein Auge zu. Denn als »Bild« über das Schicksal dieses Mannes und seiner Kinder berichtete, meldeten sich mehr als 400 Frauen.«

Jedoch bei der dritten bereits stellte der »verlassene Ehemann fest: Es war Liebe auf den ersten Blick«.

»Dank ihrer Autorität nimmt die Zeitung dem Leser das Ordnen, Sichten und Bewerten der Ereignisse, welche die gegenwärtige Welt repräsentieren, ab.«

Aus der hauseigenen »Bild«-Analyse

Warum »Bild« einen Lehrling in drei Monaten 20mal die Lehrstelle wechseln ließ

»Auf die Bild-Zeitung kann man sich verlassen.«
Hessens CDU-Vorsitzender Alfred Dregger, März 1971 in »Bild«

»Bild« läßt beim Erfinden von Geschichten immer mehr die primitivsten journalistischen Sorgfaltspflichten außer acht. Anscheinend glaubt Springer »Papier ist geduldig«, und hofft dasselbe von seinen Lesern. Nach dem Auflagenverlust der »Bild«-Zeitung zu urteilen (25 % weniger in 4 Jahren), erkennen immer mehr Leser, daß die Interessen des Herrn Springer in krassem Widerspruch zu den ihren stehen.
Beim Bericht, wie ihn »Bild« am 5. April seinen Lesern vorsetzt, fehlt nur die Vorbemerkung »Es war einmal . . .«, um ihn den Lesern als das vorzustellen was er in Wirklichkeit ist: ein bösartiges Märchen.
Der Journalist, der in dem Artikel zum Verbreiten der Unwahrheit fast zwei Dutzend Sätze bemüht, hat sich bei einem einzigen Satz einen Stilbruch, d. h. die Wahrheit geleistet.
»Herbert V. (14) aus Köln war im August vergangenen Jahres aus der Schule entlassen worden.« Dieser eine Satz stimmt voll, ist allerdings für sich allein nicht stark genug, um die von »Bild« beabsichtigten Akzente zu setzen.
Das schafft dafür die fettgedruckte Schlagzeile: »Der Junge, der in drei Monaten 20mal die Lehrstelle wechselte – Tankstelle oder Konditorei: Die Arbeit war ihm immer zu schwer.« So ist das also, denkt der unvoreingenommene Leser, der zwar nicht in »Bild«, dafür vielleicht aber schon mal in der Tagesschau gesehen hat, wie Lehrlinge auf der Straße gegen Ausbeutung und für mehr Rechte demonstriert haben: ›demonstrieren können sie, zum arbeiten sind sie zu faul!‹ Da man mit Tieren weniger förmlich umzugehen braucht als mit Menschen und von daher auch leichter mit ihnen fertig wird – (wie z. B. mit den Juden im 3. Reich, die man, bevor man sie als solche behandelte, zuvor in »Wanzen und Ungeziefer« umbenannte und eingedenk Straußens Umbenennung der Studenten in »Tiere« und »Schweine«)

nennt »Bild« den Lehrling »fauler als ein Faultier«. Ein Besuch bei den Eltern des zum »Faultier« Abgestempelten, ein Gespräch mit ihm, ein Blick auf seine Lohnsteuerkarte und ein Besuch bei seinen zwei Lehrstellen, ergeben den wirklichen Sachverhalt. Der »Bild«-Bericht verfährt nach dem Schema der mittelalterlichen Hexenverbrennungen (einmal als Hexe verdächtigt, wird ihr jede Reaktion als Bestätigung des einmal gefaßten Verdachts zu ihrem Nachteil ausgelegt. Was früher in der Praxis so aussah: warf man sie gefesselt in den Fluß und ging sie nicht unter, war es der Beweis, daß sie mit übersinnlichen Mächten in Verbindung stand und sie wurde zum Scheiterhaufen geführt, ging sie unter, hatte sie es auch nicht besser verdient.) Der Lehrling kann tun, was er will, alles wird ihm als Symptom seiner Faulheit zur Last gelegt. »Bild« unterstellt: »Um sich von den ›Schulstrapazen‹ zu erholen, machte er erst einmal vier Monate Ferien. Erst als seine Mutter drängte: ›Du mußt endlich anfangen zu arbeiten‹, suchte er sich eine Lehrstelle als Tankwart.« – Richtig ist, daß er nicht 4 Monate, sondern den für alle Schulentlassenen obligatorischen einen Monat Ferien (als Begleiter seines Vaters auf dem Fernlaster) machte, und die erste Lehrstelle – als Automechaniker bei Daimler Benz – bereits während seiner Schulzeit und nicht erst auf Drängen seiner Mutter vereinbart wurde.

»Bild« fährt fort: »Doch schon nach drei Tagen feuerte der Chef ihn. Denn Herbert V. hatte die Kunden aufgefordert: ›Putzt eure Windschutzscheiben selbst.‹ Und wenn er Benzin auffüllen sollte, schimpfte er noch: ›Ihr Tankschloß klemmt. Schrauben Sie es selber auf, sonst gibt es keinen Sprit.‹« – Seine erste Lehrstelle beendete Herbert V. nicht auf beschriebene Weise, nach drei Tagen, sondern erst nach einem Monat, weil er sich nicht für den Beruf des »Mercedes«-Automechanikers eignete.

Weiter lügt »Bild«: »Auch in seiner nächsten Lehrstelle, einer Konditorei, blieb er nur drei Tage. Statt Kuchenbleche zu tragen und Teig zu kneten, naschte er den Zuckerguß von den Torten.« Tatsächlich hielt es der Lehrling auf seiner 2. Lehrstelle, in der Konditorei Hochkirchen, nicht drei Tage, sondern 6 Wochen aus und der Grund der Auflösung des Lehrvertrages war nicht etwa »Naschen«, sondern einige Male »Zuspätkommen«, wie mir Konditoreibesitzer Hochkirchen versicherte, der, wie er sagte, nie von einem »Bild«-Zeitungsjournalisten über seinen ehemaligen Lehrling befragt worden ist.

Eine weitere Lehrstelle dichtet der erfindungsreiche »Bild«-Journalist seinem Opfer so an: »Aus einer Textilfirma verschwand Herbert V. schon am ersten Tag.« Grund: »Weil er eine Kiste tragen sollte. Den Meister hatte er angeknurrt: ›Ich bin doch kein Schwerathlet‹.« Und noch eine Lehrstelle erfindet »Bild« dazu: »Bei seiner nächsten Lehrstelle war der Junge zu faul, nur 200 Meter weit zum Mittagessen nach Hause zu gehen. Statt dessen stahl er Lebensmittel in einem nahe gelegenen Geschäft.« – Hier unterschlägt »Bild«, daß der Mundraub nicht aus Faulheit geschah, sondern weil Herberts Mutter zu der Zeit im Krankenhaus lag. Selbst die Zahlkarte, die Herberts Mutter im Gerichtssaal vergaß, ist für »Bild« ein Dokument für die »Faulheit des Lehrlings«: »ließ die Zahlkarte im Gerichtssaal liegen und meinte vorwurfsvoll: ›Die ist mir zu schwer‹.«

Neue Unterstellung von »Bild«: »Dann setzte der junge Faulpelz sich ins Taxi und fuhr nach Hause«. (Hier wird deutlich der Haß der Millionen »Bild«-Leser, die sich nicht so ohne weiteres ein Taxi leisten können, gegen den »arbeitsscheuen«, aber scheinbar über Geld verfügenden [woher nur?] Lehrling mobilisiert).

In Wirklichkeit ging Herbert nach der Gerichtsverhandlung den halbstündigen Weg nach Hause mit seiner Mutter zu Fuß; sie wollte sparen.

Der Schluß des Artikels ist so konstruiert, daß hier besonders stark der Verdacht aufkommt, der ganze Bericht sei zusammengebastelt um der um sich greifenden Lehrlingsbewegung eins auszuwischen, sie durch einen erfundenen Einzelfall zu diskriminieren, durch einen sogenannten »Trend«-Artikel, wie sie Springer zu vielen politischen Anlässen, z. B. – laut Hauserlaß – »gegen jede Form der erweiterten Mitbestimmung« provoziert. Da wird der Begriff, der in der Lehrlingsbewegung – und nicht nur dort – mit Beispielen und Inhalten belegt, das profitsteigernde Ausplündern des Menschen durch den Menschen als »Ausbeutung« bezeichnet, im »Arbeitgeber«-Sinn gebraucht.

Von »Bild« mit entsprechend »schlimmen« Eigenschaften

ausgestattet muß jeder annehmen, der Lehrling »beutet« seine Chefs aus, und nicht umgekehrt; der Lehrling, nicht der Unternehmer übt Willkür aus; dem Lehrling, nicht dem Unternehmer geht es viel zu gut. Nicht mehr Rechte für die Unterdrückten, die Lehrlinge, sondern alle Rechte den Unterdrückern, den Unternehmern.

Im Schlußsatz von »Bild« liest sich das schließlich so: »Bevor er jetzt eine neue Lehrstelle sucht, will er sich zunächst noch einige Wochen ausruhen. ›Denn‹, so meint er, ›bei diesen Arbeitgebern werde ich ja doch nur ausgebeutet.‹«

Das »Ausruhen« hat »Bild« dem Lehrling selbst beschert. Bei einer neuen Lehrstelle, die Herbert V. über das Arbeitsamt bereits festgemacht hatte, wurde ihm, als er am Tag des Erscheinens von »Bild« mit seiner Arbeit dort anfangen wollte, diese wieder entzogen. Kommentar: »So ein Faultier können wir hier nicht gebrauchen.« Bei einer anderen Bewerbung wurde ihm mit ähnlichem Argument eine Einstellung verweigert. Der Begriff Ausbeutung, der ihm vom »Bild«-Journalisten in den Mund gelegt wurde, ist für Herbert V., als ich ihn danach fragte, zwar ein unbekanntes Fremdwort, die Anwendung jenes Prinzips hat er dafür allerdings schon am eigenen Leib besonders krass erfahren. Nach Scheitern des 2. Lehrverhältnisses verdingte sich Herbert V., »da ich ja Geld verdienen mußte«, auf einer Tankstelle. Hier stellte man ihn als »Lehrling« ein, ließ ihn die gleiche Arbeit machen wie die Vollbezahlten und zahlte ihm dafür ein Lehrlingsgeld. Als seine Eltern herausfanden, daß der Tankstellenbetrieb nicht berechtigt war, Lehrlinge auszubilden, da der »Lehrherr« weder Gesellen- noch Meisterbrief besaß, sie daraufhin einen angemessenen Lohn für ihren Sohn verlangten, wurde ihm mit der Begründung gekündigt, er habe die Stoßstange eines Wagens beschädigt. Unter diesem Vorwand wurde Herbert V. für seine 6 Wochen Arbeit kein Pfennig Lohn bezahlt.

Diesen Fakt hielt der »Bild«-Zeitungsmann nicht für wert mitzuteilen, vielleicht weil er nicht erfunden, sondern wirklich passiert ist und dem Wort Ausbeutung einen konkreten Sinn gegeben hätte.

Über die Vorgeschichte der »Bild«-Zeitungsgeschichte gäbe es noch zu berichten; die Verhandlung vor dem Jugendgericht war im Schutzinteresse des Jugendlichen nicht öf-

fentlich, auch die Presse war ausgeschlossen. Der »Bild«-Zeitungsjournalist schien jedoch »höheres Interessengut« wahrzunehmen, er konnte an der Verhandlung teilnehmen und, wie er inzwischen andeutete, durch übliche »Honorarzuwendungen« an Jugendgerichtshilfebeamte, wurde ihm die Adresse seines »Opfers« preisgegeben. Bereits von Anfang an schien für ihn der »Fall« gelaufen. Zu einem Kollegen: »Den machen wir jetzt zum faulsten Jungen Deutschlands.« »Bild«-Redakteur B. und »Bild«-Fotograf Sch. machten sich zur Wohnung des 14jährigen auf, wo sie ihn alleine antrafen. Sie gewannen sein Vertrauen mit der Bemerkung »wir waren im Gericht und haben dich gut gefunden.« Sie überredeten ihn, die Haltung einzunehmen, die ihnen für »Faulheit« am sinnbildlichsten erschien. Mit übereinandergeschlagenen Füßen auf dem Küchentisch. B. heute: »Er wollte nicht so recht. Bei seinem rechten Bein gab's Schwierigkeiten, da mußten wir noch etwas nachhelfen.«
Samstag vor Ostern findet sich »Bild«-Journalist B. bei Familie V. ein, um zu beschwichtigen. Herr V. hat angekündigt, Anzeige wegen »Verleumdung« zu erstatten und er will Schadenersatzansprüche geltend machen.
Er sieht seinen Beruf gefährdet, da er seit der Veröffentlichung immer wieder seinen »mißratenen Sohn« vorgehalten bekommt und ihm Aufträge mit besonders wertvoller Fracht seitdem entzogen werden.
Ich nehme an der Besprechung als »Schwager« von Herrn V. teil. »Bild«-Redakteur B. ist Mitte 30. Er findet nicht die Situation vor, wie er sie gewohnt zu sein scheint.
»Bin ich hier denn in einer Gerichtsverhandlung?«
»Ja, Sie haben sich hier zu verantworten, stellvertretend für Herrn Springer«, sage ich. Zuerst versucht der Redakteur von sich abzulenken. Das »fauler als ein Faultier« sei nicht von ihm, bemerkt er, sondern erst in Hamburg von der Redaktion reingesetzt worden. Außerdem habe er auch ein paar positive Bemerkungen über den Jungen im Manuskript gehabt, die seien von der Hauptredaktion dann gestrichen worden.
Er ist ein guter Springerbediensteter. Als ich bemerkte, daß es sich nun langsam herumspräche, wie »Bild« Nachrichten verfälsche, direkte Lügen verbreite usw., droht er, das könne Konsequenzen für mich haben; wenn ich das öffentlich

verbreite, gäbe das eine Anzeige. Als ich ihm sage, daß ein Gerichtsentscheid vorliegt, der die Behauptung dieser Tatsache ausdrücklich erlaube, wird er etwas unsicher. An einem Wahrheitsbeweis scheint er nicht interessiert. Er lehnt es z. B. ab, sich die Lohnsteuerkarte des Jungen anzusehen. Statt dessen beruft er sich auf »Informanten, deren Anonymität« er nicht preisgeben würde. Eher würde er in »Beugehaft« gehen. Auf meine Frage, warum er den Jungen zwar fotografiert, ihn aber nicht zur Sache befragt habe? B.: »Ich brauche mit ihm überhaupt nicht zu verhandeln, denn er ist ja nicht geschäftsfähig.«

Zum Schluß verabschiedet sich B. jovial von Herrn V., der vor Erregung während des Gesprächs einige Male zitterte: »Legen Sie sich erst mal hier auf der Eckbank rund, dann werden Sie schon wieder ruhiger.« Und: »Schadenersatzansprüche zu stellen, hat überhaupt keinen Zweck, da kommen Sie gegen uns doch nie an.« Und als zynische Schlußpointe: »Versuchen Sie es doch mit einer Gegendarstellung. Ich werde Ihnen da gern behilflich sein. Ich kenn' ja schließlich die Fakten.« –

»Da kommen Sie gegen uns doch nie an« – was heißt das? Das heißt: Macht schafft Recht, und wir werden immer recht behalten, weil wir die Macht haben. Das heißt: Glauben Sie doch bloß nicht, hierzulande herrsche gleiches Recht für alle. Das heißt: Bleiben Sie still, wie es sich für Sie gehört, und finden Sie sich mit dem Schaden ab, denn wenn Sie uns, die immer recht behalten, verklagen sollten, dann – denken Sie an die Prozeßkosten – würde der Schaden für Sie nur noch größer werden.

Ich will hier nicht auf die bundesdeutsche Justiz überlenken, etwa auf die Bestechlichkeit von Justizbediensteten, von der Günter Wallraff in derselben Reportage spricht. Erwähnt sei allerdings die Tatsache, daß sich Verleger Axel Springer im Prozeß gegen Horst Mahler wiederholt Brüskierungen des Gerichts erlaubte, daß deswegen Ordnungsstrafen gegen ihn verhängt wurden, daß er die Strafen aber nicht – wie viele andere, denen etwa einmal während einer Verhandlung ein Zwischenruf entfahren ist – absitzen mußte, daß er vielmehr nur mit Geldstrafen belegt wurde, deren Höhe gemessen an seinem Hundertmillionen-Vermögen lächer-

lich gering war, und daß er den Betrag von zusammen 1500 Mark dann doch nicht zu zahlen brauchte. Vor Gericht sind nicht alle gleich. Darum wird Herbert V.s Vater wohl auch gar nicht erst beginnen, gegen Axel Springer zu prozessieren. Und die Staatsanwaltschaft? Gibt es einen Staatsanwalt, der es wagte, Springer wegen Mißhandlung, systematischer Mißhandlung kleiner Leute – Herbert V., Rita Z. und vieler anderer – vor Gericht zu bringen?

Axel Springer ist mächtig. So mächtig, daß er Tag für Tag als oberster Richter dieses Staates, der laut Grundgesetz ein Rechtsstaat ist, fungieren darf. Seine »Bild«-Zeitung verkündet vor einem Publikum von zehn Millionen Lesern die Urteile. Harte, schicksalhafte Urteile. Wer in die Mühle der Springer-Justiz geraten ist – Schuld oder Unschuld spielt vor diesem Volksgerichtshof keine Rolle –, der muß damit rechnen, daß seine persönliche Ehre und seine berufliche Existenz verloren sind und daß er fortan nur unter ständigen Schikanen »Bild«-lesender Mitbürger leben kann.

Axel Springer ist so mächtig, weil er über ein Verlagsimperium gebietet, dessen Ausmaß sich ein Hugenberg nicht hätte erträumen können; und im andauernden, staatlich geduldeten, wenn nicht geförderten Konzentrationsprozeß fallen ihm immer noch weitere, bisher selbständige Zeitungen – Druckmaschinen mitsamt technischem, kaufmännischem und redaktionellem Personal – anheim. Ja, Springer kauft ganze Redaktionen ein und läßt sie, die bisher vielleicht kritisch-aufklärerisch-demokratisch ihrer öffentlichen Aufgabe nachgingen, nun schreiben, was er ihnen per Hauserlaß vorschreibt. Per »Bild«-Zeitung – um nur die größte seiner vielen Zeitungen und Zeitschriften zu nennen, zu denen inzwischen noch eine gewaltige Buchproduktion, Kassettenfernsehen usw. hinzugekommen sind – schreibt er zehn Millionen Lesern vor, wie sie sich zu verhalten haben, formt sie mit Lüge und Hetze zur »Bild«-Leser-Volksgemeinschaft. Welcher Politiker könnte diese Macht ignorieren? Siehe Ostpolitik, siehe Mitbestimmung.

Axel Springer ist »gegen jede Form der erweiterten Mitbestimmung«. Wen wundert es, daß er seine Macht nicht freiwillig mit anderen teilen möchte? In seinem Konzern gilt nicht einmal die minimale Form der Mitbestimmung, wie sie nach dem Betriebsverfassungsgesetz in anderen Unternehmen gilt. Der sogenannte Tendenzparagraph, den auch die sozial-liberale Koalition nicht anzutasten wagte, macht Springer zum unumschränkten Herrn über alle seine Setzer, Drucker und Redakteure. Redaktionsstatute? Ein Pressegesetz, das die Unabhängigkeit der Journalisten gegenüber dem Verleger und den bei ihm inserierenden Öl-, Auto-, Zigaretten- und Waschmittelunternehmern sichern würde? Nein, Springer ist »gegen jede Form der erweiterten Mitbestimmung«.

Aber: Mehr und mehr Journalisten – auch im Hause Springer – organisieren sich in der Gewerkschaft und – noch nicht im Hause Springer – engagieren sich für Redaktionsstatute, für allgemeine Regelungen zur Kompetenzabgrenzung zwischen Verlag und Redaktion. Vielleicht wird eines Tages auch »Bild«-Redakteur B. lernen, nicht mehr, wenn er die Macht Axel Springers meint, »wir« und auch nicht mehr, wenn von der Besiegbarkeit zentral gesteuerter Lüge und Hetze die Rede ist, »nie« zu sagen. Er sollte bald darüber nachdenken und er sollte auch – gemeinsam mit Kollegen und im Bündnis mit den Demokraten in unserem Lande – handeln.

Eckart Spoo
Vorsitzender der »dju« (Dte. Journalistenunion)

In einem hessischen Konzern veröffentlichte der Betriebsratsvorsitzende in den Mitteilungen an die Arbeiter kontinuierlich die Gegengeschichten zur »Bild«-Zeitung. Bei einer vor kurzem erfolgten Umfrage ergab sich, daß von ca. 1500 Arbeitern nur noch 35 »Bild« weiterlasen. Allen anderen war bewußt geworden, daß »Bild« alles andere als ihre Interessen vertritt.

Schwierigkeiten beim Veröffentlichen der Wirklichkeit hinter Fabrikmauern

Pressefreiheit sei in der Bundesrepublik »die Freiheit von zweihundert reichen Leuten, ihre Meinung zu verbreiten«. Dieses hinreichend bekannte, aber nicht oft genug in Erinnerung zu bringende Zitat von einem des Kommunismus Unverdächtigen, dem konservativ-liberalen Publizisten Paul Sethe, der u. a. für die FAZ und die »Welt« schrieb, bezieht sich auf unsere Zeit, gestützt auf seine persönlichen Erfahrungen. »Der Kapitalismus machte aus den Zeitungen kapitalistische Unternehmen, Werkzeuge der Profitmacherei für die Reichen, der Information und des Zeitvertreibs für sie, Werkzeuge des Betrugs und der Irreführung der werktätigen Massen.« Dieses in der Konsequenz fast deckungsgleiche Zitat ist von Lenin. Es läßt den Verdacht aufkommen, daß die Verhältnisse damals und die Verhältnisse heute im Prinzip nicht so verschieden sind.
Im Grundgesetz Artikel 5 wird die Pressefreiheit garantiert: »Jeder hat das Recht, seine Meinung in Wort, Schrift und Bild frei zu äußern und zu verbreiten und sich aus allgemein zugänglichen Quellen ungehindert zu unterrichten.« Und das Bundesverfassungsgericht hat dieses Grundrecht dahin interpretiert, daß Pressefreiheit bedeute: »Bestand einer relativ großen Zahl von selbständigen und nach ihrer Tendenz, politischen Färbung oder weltanschaulichen Grundhaltung miteinander konkurrierenden Presseerzeugnissen.« Sieht man dagegen, daß allein 50 Prozent der Arbeiter infolge zermürbender, geisttötender Industriearbeit und aufgrund einseitig verteilter Bildungsprivilegien der Suggestion der »Bild«-Zeitung erliegen, weiß man, daß es mit der »Pressefreiheit« meist nicht weit her ist.
Die Macht des Springer-Konzerns findet ihren Ausdruck nicht allein durch Anwendung oder Mißbrauch von Macht, sondern bezeichnenderweise spricht man hier bereits von »Macht durch Verzicht auf Einsatz von Macht« (im religiösen Sprachgebrauch würde man es »Gnade« nennen), gekennzeichnet durch die Nichtanwendung möglicher Druckmittel gegenüber anderen Verlagen und Publikationsorga-

nen, zum Beispiel von den Konzern-Bossen gebührend als Akt der Großzügigkeit herausgestellt – die Nichtaufnahme lokaler Anzeigen in den Westberliner Ausgaben der »Welt« und der »Hör zu!«, die Nichtverbreitung von »Bild am Sonntag« in Westberlin und vor allem die Auftragserteilung von »Bild«-Druck an andere Zeitungsdruckereien. Hier nur einige Zahlen solcher sich selbst noch als »unabhängig« oder »überparteilich« bezeichnenden Presseorgane, die weitgehend von Springer-Konzern-Aufträgen abhängig sind: etwa die »Hannoversche Presse« (Eigenobjekt = 150 000 Auflage, »Bild«-Druck = 460 000 Auflage), die Frankfurter Societätsdruckerei (eigene und andere Objekte: 500 000 Auflage, »Bild«-Druck: eine Million Auflage), Bechtle Verlag, Eßlingen (Eigenobjekt: 30 000 Auflage, »Bild«-Druck: 550 000 Auflage); dementsprechend wird Verleger Bechtle innerhalb der Branche als »Springers starker Mann in der Provinz« bezeichnet, und die Zahlen beweisen, daß er auf dem Pressesektor lediglich ein kleines Lehen des Großfürsten bewirtschaftet: die Ausrichtung seines Eigenblattes ist folgerichtig mit Springer deckungsgleich.

Das Beispiel des Kölner Verlegers DuMont-Schauberg belegt, daß nur absolute Loyalität und Wohlverhalten des Lohndruckers gegenüber seinem überlegenen Geschäftspartner entsprechend honoriert wird. (DuMont-Schauberg machte mit Eigenobjekten 370 000 Auflage, »Bild«-Druck 730 000 Auflage.) Nach der Einstellung des Boulevardblattes »Der Mittag« durch die miteinander verbundenen Verlage Springer und Betz in Düsseldorf, gründete DuMont-Schauberg eine Düsseldorfer Lokalausgabe seines Boulevardblattes »Expreß«. Die Reaktion Springers: Er kürzte den »Bild«-Auftrag um vorerst 70 000 Exemplare. Während der Ostertage 1968, als demonstrierende Studenten und Arbeiter die »Bild«-Druckereien belagerten, weigerte sich DuMont-Schauberg, zusätzlich 28 000 Exemplare der Frankfurter »Bild«-Ausgabe zu drucken, wozu er vertraglich auch nicht verpflichtet war. Konsequenz: Springer zog seinen gesamten »Bild«-Druckauftrag zurück. In diesem Fall zeigte sich besonders drastisch, daß ökonomische Abhängigkeit bis zur Erpressung und möglichen Ruinierung von »Geschäftspartnern« ausgenutzt werden kann. Verständlich, daß selbst von Springer unabhängige Druckereien vor Druckaufträgen zurückscheuen, die den Unwillen des Konzerns hervorrufen können. Als Ostern 1968 die Zeitschrift »Pardon« eine Anti-Springer-Sonderausgabe herausbringen wollte, weigerten sich mehrere Druckereien aus Furcht vor möglichen Pressionen, den Auftrag auszuführen. Das Urteil von Sebastian Haffner ist nicht übertrieben: »Schon heute lebt jede noch existierende Zeitung in Deutschland sozusagen von Springers Gnaden – und weiß es; es dürfte keine mehr geben, der er nicht, wenn er es darauf anlegte, so oder so das Lebenslicht ausblasen könnte.«

Gleichzeitig werden die Möglichkeiten, solcher Abhängigkeit und Uniformierung wirksam entgegenzutreten, immer mehr eingeschränkt. Gewerkschaftsorganisationen und Journalistenverbände verweisen auf die »Einengung und Verschlechterung des journalistischen Arbeitsmarktes« wie auch auf die »schwindende Freiheit und Unabhängigkeit der journalistischen Arbeit« im Gefolge der Pressekonzentration. Allein 1966/67 sind mehr als 100 Journalisten aufgrund von Einstellung oder Einverleibung ihres Blattes durch den Springerkonzern zu Springer übergewechselt. Das Absinken der Zahl selbständiger Zeitungen erhöht die Abhängigkeit des Journalisten, denn je weniger selbständige Redaktionen es gibt, desto geringer werden die Möglichkeiten, sich einem Druck seitens der Eigentümer oder auch nur einer Anweisung des Chefredakteurs durch Wechsel zu einem anderen Presseorgan zu entziehen. Die Drohung, auf absehbare Zeit entweder arbeitslos oder von Springer übernommen zu werden, dürfte nicht gerade dazu beitragen, die Meinungsfreudigkeit der Journalisten zu stärken. Wenn die Behauptung zutrifft, daß die Selbstzensur des Journalisten oft genug größer ist als die ihm auferlegte Zensur dann hat das mit darin seine Ursache.

Wer zum Beispiel am Bildschirm erlebt hat, in welch devoter Art Klaus Harpprecht Axel Cäsar Springer interviewte, wie er ihm die Fragen mundgerecht servierte, jede kritische Fragestellung dabei vermied und wie er sich beeilte, ihm aus dennoch nicht zu vermeidenden Verlegenheiten herauszuhelfen, kommt nicht umhin festzustellen, daß hier jemand seinen künftigen (oder bereits jetzigen) Herrn bediente.

Als Conrad Ahlers im Februar 1970 öffentliche erklärte, die Springer-Presse manipuliere und verfälsche Nachrichten, kam er erst gar nicht dazu, dem Beweis anzutreten. In der Öffentlichkeit entstand der Eindruck, hier sei vorschnell geurteilt worden und Beweise lägen nicht vor; ein kurz nach diesem Eklat nur durch zufällige Indiskretion bekanntgewordener Besuch Springers bei Ahlers' Chef Brandt gab Aufschluß darüber, wie der Konzernherr an höchster Stelle seine Interessen zu wahren verstand.

Eine von der Zeitschrift »Pardon« vorgelegte Dokumentation zeigt dagegen, wie einfach es gewesen wäre, den Wahrheitsbeweis für die Behauptungen anzutreten. Die Journalisten von »Pardon«, denen bestimmt nicht die Möglichkeiten des Bundespresseamtes zur Verfügung stehen, überprüften in einer Zeitspanne von nur drei Wochen stichprobenartig Meldungen der »Bild«-Zeitung auf ihren Wahrheitsgehalt. Das Ergebnis: »Zu einem großen Teil waren die Artikel in »Bild« reine Erfindungen, Verfälschungen und gröbste Manipulation.

Bei den meisten Organen der Massenpresse ist der Verkaufspreis weit unter den Herstellerpreis gesunken, so daß Zeitungen nur noch durch Anzeigeneinnahmen bestehen können und Großkonzerne durch gemeinsame Anzeigenpolitik über Auflagenhöhe und Bedeutung und letztlich über den Bestand der einzelnen Blätter zu entscheiden in der Lage sind. Der »Spiegel« müßte mehr als das Doppelte kosten, wenn er ohne Anzeigen auskommen wollte. Vor dem Krieg rechnete man noch mit einem Erlös von 65 Prozent aus dem Vertrieb; heute müssen die Anzeigen etwa diesen Anteil hereinbringen (bei Illustrierten beträgt er im Durchschnitt 80 Prozent).

Auch die Tageszeitungen bemühen sich verstärkt um die Anzeigenaufträge der Markenartikelfirmen. So entsteht leicht der Eindruck – wie zum Beispiel bei der »Rheinischen Post«, einer Zeitung für »christliche Kultur und Politik« –, daß es sich um riesige Anzeigenblätter mit einem redaktionellen Teil handelt. (Die »Rheinische Post« bot ihren Lesern in den letzten Jahren pro Jahr durchschnittlich 10 000 Anzeigenseiten und 6000 Textseiten.) Entsprechend groß sind die Einflüsse der heimlichen »Mäzene« von der Industrie. Als ein Redakteur in der »Rheinischen Post« vor

einigen Jahren anläßlich der Neuvermählung des Kaufhaus-
konzernkönigs den Selbstmord von Hortens Frau mit zu
erwähnen wagte, verlangte Horten von der Zeitung, daß der
verantwortliche Redakteur unverzüglich entlassen werde.
Als die Zeitung zögerte, verhängte Horten Anzeigenboykott.

Ein Artikel von mir in der Zeitschrift »Konkret« über den
Horten-Konzern (Protokolle von Verkäuferinnen und Ver-
käufern in Konfrontation zum feudalen Lebensstil und zur
Steuerflucht des Konzernherrn) fand ebenfalls nicht die
Gunst von Horten. Einen Tag nach Erscheinen des Heftes
verhängte Horten einen Boykott.

Am 23. Oktober ging unter der Nummer 2961 ein internes
Fernschreiben an alle Horten-Warenhäuser der Bundesrepublik, abgefaßt im kategorischen Pluralis majestatis: »Wir
wollen ab sofort nr. 22 vom 21. 10. 71, die wochenzeitschrift
»konkret« nicht mehr führen und zwar wegen ihrer porno-
grafisch-anreißerischen aufmachung und ihrer anarchisti-
schen redaktionstendenz. vorhandene bestaende bitte re-
mittieren = horten«

Dieses Bannschreiben, worin den Geschäftsführern der
Hortenfilialen der wirkliche Grund für den Boykott ver-
heimlicht wird, bekam ich von einem ehemaligen Direk-
tionsmitglied von Horten zur Kenntnis gebracht, das aufgrund langjähriger Erfahrungen aus nächster Nähe in Horten inzwischen einen »white collar-Gangster« erster Größenordnung sieht.

Selbst der »Stern«, noch die wagemutigste Großillustrierte,
muß aus Existenzgründen Rücksichten auf ihre Großanzei-
genkunden nehmen. Als Ende 1970 von Redaktionsseite
gefordert wurde, einen Bericht über den von den Gewerkschaften geforderten Bildungsurlaub für Arbeiter zu bringen, intervenierte Chefredakteur Nannen persönlich: Dieses Thema könne der »Stern« frühestens im Frühjahr bringen; denn jetzt November/Dezember würden die Anzei-
genetats vergeben, und das würde die Industrie nicht gerade
freuen. Man könne nur auf einer Seite vorpreschen, und das
sei die Innenpolitik. Wenn alle Ressorts mit derartigen Themen aufwarten würden, würden die Anzeigenkunden da-
vonlaufen.

Der »Stern« bekam wegen seiner nicht immer unternehmerfreundlichen Haltung Repressalien zu spüren. (Wie im folgenden Brief einer großen Firma, die ihre Anzeigenkündigung mit dem angeblich linkstendierenden Kurs der Illustrierten begründet):

»Wir wollen nur in Zeitschriften inserieren, die dem Informationsbedürfnis des Lesers genügen und nicht statt dessen unbefriedigende Manipulation bieten. Sie werden deshalb Verständnis haben, daß wir unsere Werbeagenturen anweisen, laufende Anzeigenkampagnen im »Stern« zu stornieren und für künftige Streufälle den »Stern« unter den gegebenen Umständen nicht zu berücksichtigen.«

Eine Kopie des Schreibens schickte die Firma an fünf Werbeagenturen.

Ein »Stern«-Redakteur, dem ein Artikel über Steuerflucht Sanktionsdrohungen eintrug, bemerkt dazu: »Wenn sich drei große Anzeigenkunden zusammentun, dann wäre das Blatt hin. Wenn Unilever, Flick und Quandt sagen, in dem Blatt inserieren wir nicht mehr, dann ist das das Ende aller Zeiten. Wissen Sie, brauchen die bloß zu sagen, Sie können davon ausgehen, wir haben Mercedes, VW und die ganzen Waschmittel, wenn das alles wegbleibt, das überlegen Sie mal lieber.«

Wie vor kurzem bekannt wurde, existiert ein sogenanntes »Frühstückskartell« der Industrie, das darüber zu beschließen hat, Zeitungen und Zeitschriften, die sich nicht eindeutig genug zu den Prinzipien der freien Marktwirtschaft bekennen, mit Inseraten auszuhungern.

In der liberalen »Zeit« wird gleichermaßen Rücksichtnahme geübt. Als im »Zeit«-Magazin ein Kriegsfoto aus Amman erscheinen sollte (ein Vater, der sich über sein schwer verwundetes Kind beugt), schaltete sich die Anzeigenabteilung ein, die auf der gegenüberliegenden Seite eine Coca-Cola-Anzeige eingeplant hatte. »Wir müssen vorher bei Coca-Cola anfragen, ob das Foto kommen darf.« Es durfte nicht. Coca-Cola: »Kein Tropfen Blut auf unserer und der gegenüberliegenden Seite.« Das den Krieg anprangernde Foto entfiel zugunsten der den Durst anregenden Anzeige.

Insgesamt kann man sagen: Die Pressefreiheit des Journalisten hat spätestens da ihre Grenzen, wo die Interessen der Großanzeigekunden beginnen. Auf jeden Fall gilt: Solange die Existenz einer Zeitung von ihrem Anzeigenaufkommen

abhängt, wird es ein Organ, das die Interessen seiner Inserenten vertritt, leichter haben als eines, das sie bekämpft.
Ich habe solche Rücksichtnahme auf Großanzeigekunden bei meiner Arbeit des öfteren zu spüren bekommen. Der »Stern« wollte zum Beispiel 1967 einen Bericht mit meinen Recherchen über bewaffnete Werkschutzeinheiten, die im Notstandsfall gegen streikende Arbeiter eingesetzt werden sollten, bringen. Der Artikel war geschrieben, als die Firma Mannesmann, die darin genannt war, von der bevorstehenden Veröffentlichung erfuhr. Folge: Protestanmeldung durch sofortige Intervention beim Anzeigengeschäftspartner, dem »Stern«- und »Zeit«-Herausgeber Bucerius. Wie plump vertraulich hier seinerzeit Absprachen getroffen wurden und eine Hand die andere wusch, erfuhr ich erst im vorigen Jahr über eine undichte Stelle im Mannesmann-Konzern. Da hatte Geschäftsfreund Bucerius Geschäftsfreund von Eichborn, den Leiter der wirtschaftspolitischen Abteilung des Mannesmann-Konzerns, zu beruhigen gewußt (i. e. Schreiben v. 12. 6. 67):

»Lieber Herr von Eichborn,
natürlich freut sich die ›Stern‹-Redaktion, daß sie an der Sache Wallraff vorbeigekommen ist. Daß er schon einmal vom Presserat getadelt wurde, war mir neu, ist aber bezeichnend . . . Mit den besten Grüßen, auch daheim,
bin ich stets
Ihr Bucerius«

Im gleichen Schreiben geht Bucerius dann noch kurz auf einen zu lancierenden Bericht über ein Herstellungsverfahren des Mannesmann-Konzerns ein:
»Strangguß ist eine Sache, die ich kaum verstehe. Aber ich gebe Ihren Bericht einmal der ›Zeit‹. Vielleicht kann die Wirtschaftsredaktion etwas damit beginnen.«
Bezeichnend ist in diesem Zusammenhang auch die Tatsache, daß die Pressereaktionen auf meine in »Pardon« veröffentlichte Werkschutz/Werkselbstschutz-Reportage in großaufgemachten Dementis der von mir namentlich genannten Firmen bestanden. Besonders in den engeren Einflußgebieten der Unternehmen (Ruhrgebiet, Hannover, Kassel) sprachen die Kommentare der Tageszeitungen fast

ausschließlich zugunsten der Großanzeigekunden. Der Einfluß der Industrie erstreckt sich genauso in die von der Satzung her »öffentlich-rechtlichen Anstalten« Rundfunk und Fernsehen hinein. Bis jetzt hatte jeder umfassende kritische Bericht von mir zur Folge, daß kein zweiter in derselben Anstalt gebracht werden konnte. Die Vertreter der Industrie in den Programmbeiräten oder direkter Einfluß auf den Intendanten sorgten dafür.

Eine vierteilige Sendefolge von mir »Die Betriebsreportage« im Abendstudio des Hessischen Rundfunks wird vom »Rundfunkspiegel« des Deutschen Industrieinstituts als »sozialpolitische Hetze« disqualifiziert, der Redaktion »Mißbrauch des Rundfunks« vorgeworfen.

Die Ausstrahlung einer verkürzten Fassung der Sendefolge durch den WDR bezeichnet Dr. Triesch, Leiter der Abteilung »Verbände, Parteien, Recht« des Deutschen Industrieinstituts als »klassisches Beispiel für die unsachgemäße Behandlung des Sachbereichs Wirtschaft«. »Gesellschaftlich kritische Reportagen ohne Korrektur durch sachliche Information können verhängnisvoll wirken in einer Zeit, in der die Mehrzahl der Bevölkerung sorgenvoll nach der weiteren wirtschaftlichen Entwicklung fragt und in der die geistigen Schichten sich für den ihnen fremden Lebensbereich, Betrieb und Wirtschaft interessieren.«

Der »Rundfunkspiegel« droht dem WDR: ». . . Hier ist schon gelegentlich der Premiere im Hessischen Rundfunk . . . festgehalten worden, daß es sich bei diesen kunstlos auf Papier gebrachten ›Eindrücken‹ um übelste sozialpolitische Hetze handelt, und es bleibt unverständlich, was den WDR bewogen haben könnte, dieses Klassenkampfmachwerk unter dem irreführenden Programmtitel ›Industrie-Reportagen‹ nunmehr auch noch auf der weiterreichenden, im In- und Ausland beachteten NDR/WDR-Mittelwelle auszustrahlen. . . . Dieser sozialpolitische Unfall des WDR, dessen bösartige Unausgegorenheit nicht nur der 23jährige Autor, sondern vor allem die Programmdirektion zu verantworten hat, muß für den Programmbeirat ein Anlaß sein, von der verantwortlichen Leitung eindeutige Auskunft auf die Frage zu verlangen, welche Absichten mit der Verbreitung von Unternehmens- und Industriebildern eigentlich verfolgt werden, für die es Originale in der Bundesrepublik Deutschland nicht gibt.«

Der Programmbeirat des WDR beschäftigt sich daraufhin tatsächlich mit dem Feature. Er beschließt, Beiträge, »die einseitig Arbeitnehmerinteressen wahrnehmen«, in Zukunft nicht mehr zuzulassen. Ein in Auftrag gegebenes und angenommenes Fernsehspiel fürs Zweite Deutsche Fernsehen wurde zwei Tage vor Produktionsbeginn abgesetzt, weil die Industrie über Programmdirektor Viehöfer Protest anmeldete. Die bereits engagierten Schauspieler, Bühnenbildner, Regisseur und ich als Autor erhielten volle Honorarsätze: unterdrückte Meinungsfreiheit wurde großzügig honoriert.

Daß diese »Panne« überhaupt passierte, lag an der Risikobereitschaft eines einzelnen Redakteurs, in diesem Fall am Leiter der Abteilung Kleines Fernsehspiel, der sich ohne vorherige Rückversicherung an das heikle Thema herangewagt hatte. (Es war die in Heidenheim/Brenz tatsächlich passierte Geschichte des Arbeiters Bauder, der seine Arbeit verliert und im ganzen Landkreis keine neue mehr findet, weil er sich politisch zu weit links engagiert hat. Dagegen montiert wurden die testweise provozierten Erfahrungen des Autors, der mit gleichem Berufsbild bei den gleichen Firmen vorspricht und überall eingestellt werden soll, weil er sich nicht wie Bauder als Linker, sondern als NPD-Mann empfiehlt.)

Normalerweise passieren derartige »Pannen« jedoch nicht, da die verantwortlichen Redakteure – wenn sie sich privat auch noch so progressiv und links gebärden – Vorsicht und Anpassungsfähigkeit unter Beweis stellen und in einer Art verinnerlichter Selbstzensur dem Autor vorher klarmachen, was in ihrem Sender möglich ist und was nicht. Dann werden gern »künstlerische Kriterien« herbeibemüht, um eine konkrete Fallschilderung zu verhindern, die die Klassenstruktur dieser Gesellschaft sichtbar macht und Mißstände nicht als zufällige Einzelfälle, sondern als Zustände erkennbar werden läßt und die Verantwortung letztlich nicht dem Schicksal, sondern Machtpositionen und politischen Verhältnissen zuschreibt; dann wird gern von erforderlicher »Verfremdung« oder zum Beispiel von einem Ende, das »ähnlich wie beim Rashomon-Prinzip durch mehrere Möglichkeiten die Schuldfrage offenläßt« gesprochen, wobei »künstlerische Umsetzung« gesagt wird und Verallgemeinerung im Sinne von Verschleierung gemeint ist.

Wenn sich Rundfunk- und Fernsehanstalten um Hör- oder Fernsehspiele von mir bemühten, dann wollte man mich meist auf eine Gestaltung von Einzelschicksalen festlegen, hinter der die Struktur, das Typische dieser Gesellschaft, nicht oder nur schwer zu erkennen sein sollte. Bei meinen »unerwünschten Reportagen« stürzten sich die Kunstmacher zuerst immer auf »Wiederaufnahme einer Verfolgung«, einen Fall von Antisemitismus in einem baden-württembergischen Dorf, und auf die Geschichte des Paderborner Archivars Molinski, die ebenfalls in Form eines Einzelschicksals die unbewältigte Vergangenheit behandelt. Die anderen Reportagen, die von der »unbewältigten Gegenwart« handeln und in denen statt von Juden von jetzt politisch Verfolgten und Ausgebeuteten die Rede ist, wurden als weniger typisch links liegengelassen, als »zumindest in unserer Anstalt« nicht realisierbar abgelehnt. Man sah in mir den mit dem Geruch des »Gewagten, Unbequemen« behafteten Autor, den man mit etwas »kessem Gesellschaftskritischen« (Böll) innerhalb der pluralistischen Meinungsmache zu verkraften durchaus in der Lage war, aber bitteschön nicht gleich mit einer Sache, wo der Arbeiter seine Situation wiederzuerkennen in der Lage wäre und womöglich Folgerungen ziehen könnte.

Die Narrenfreiheit und Alibifunktion, die man mir als »Schriftsteller« von Fall zu Fall noch bereit ist zuzugestehen, hört auf, sobald ich den Deckmantel des Literaten ablege und die Spielwiese »Kunst und Literatur« verlasse. Beim totalen Heraustreten aus der fiktiven Sphäre »Kunst« auf das Feld der Fakten und Namensnennungen von Personen, Firmen und Politikern, wo Abs nicht »Moloch«, sondern Abs genannt wird und Strauß nicht als austauschbare machtbesessene Diktatorgestalt, die auch Franco, Hitler, Goldwater oder gar Nero sein könnte, zur »Kunstfigur« erstarrt, sondern als Franz Josef Strauß vorgeführt wird, da ist der »Literat«, der ab hier »Journalist« genannt wird, zum Abschuß freigegeben. Da werden die Interessen der Wenigen, die die Vielen beherrschen, unter Mißachtung der Interessen der Mehrheit vertreten. Da ist es auf einem Terrain, wo sonst »Fakten zählen«, plötzlich nicht mehr möglich, die Fakten aufzuzählen. Da werden, wo es um die Unantastbarkeit des zusammengehäuften, unkontrollierten und zum politischen Machtfaktor gewordenen Privatbesitzes geht, nur gleichgesinnte und ehrerbietige Journalisten an die heiligen Kühe der Nation herangelassen: Einem erzreaktionären Matthias Walden wird die Fernsehwürdigung des reaktionären Konzernbesitzers Oetker aufgetragen, und er schafft es, dem Volk den stockkonservativen, NPD-nahen Feudalherrn als sympathisch und harmlos vorzustellen; eine sich von Besitz und edlen Umgangsformen blenden lassende Harpprecht-Gattin wird dem Presse-Zaren Axel Cäsar Springer ins Imperium geschickt und siehe, sie findet ihn bescheiden, gerecht und gut in ihrer Fernsehdarbietung.

Es mag einem kritischen Journalisten im Fernsehen oder in der Presse die Möglichkeit belassen sein, eine Behörde oder einen Politiker heftig zu attackieren, gegenüber einem mittleren Privatunternehmen hört die Kritikfähigkeit meist auf. Ich habe es wieder bei der Abnahme meiner Fernsehdokumentation über Heimzöglinge beim ZDF erlebt: Die Firma »Trumpf«, die an Mädchenheime Kartonarbeiten vergibt, und eine Kugelschreiberfirma, »Marke Solid«, deren Produktionsstätte sich im katholischen »Don-Bosco-Heim« in Köln befindet, wo die Kugelschreiber von zum Teil noch schulpflichtigen Kindern im Akkord zusammenmontiert werden, durften im Film unter keinen Umständen genannt bleiben. Der verantwortliche Hauptabteilungsleiter machte die Abnahme von der Streichung der beiden Firmennamen abhängig.

Ein anderer Fall, nicht lange danach: Ein mir von der zuständigen Redaktion des ZDF erteilter Auftrag für einen Dokumentarfilm über »Mieter/Vermieter« (die Pflichten des einen, die Rechte des anderen), für den ich bereits zwei Wochen Vorbereitungszeit investiert hatte, wurde kurzfristig wieder rückgängig gemacht, indem der übergeordnete Chefredakteur – im Hause als CDU-fromm bekannt – in die sonst üblichen Kompetenzen der Redakteurin eingriff und das Projekt zurückzog, da es zum einen dem (politisch) falschen Autor überlassen worden sei, zum andern ein an die Eigentumsverhältnisse rührendes Thema, wenn überhaupt, nur im Schoße und unter ständiger Kontrollmöglichkeit des Hauses produziert werden dürfe. Die Redakteurin, der die Angelegenheit peinlich schien, versuchte mich zu trösten mit der Bemerkung, daß sie nach wie vor etwas von mir bringen möchte, allerdings müsse ich mir in Zukunft schon harmlosere Themen aussuchen.

Derartige Reaktionen machen deutlich, zu wessen Gunsten und auf wessen Kosten die Machtverhältnisse in diesem Staat verteilt und wie die Propagandisten der öffentlichen Meinung darauf geeicht sind, dafür zu sorgen, daß die Meinung der Herrschenden die herrschende Meinung ist und bleibt.

Nachdem ich zwei Jahre in verschiedenen Großbetrieben gearbeitet und meine Erfahrungen veröffentlicht hatte, versuchte die Industrie, dieses Eindringen in ihren »privaten Herrschaftsbereich« künftighin zu verhindern. Im »Unternehmerwarndienst« wurde eine Art Steckbrief von mir verbreitet, der in den Einstellungsbüros der mittleren und größeren Betriebe auslag. Unternehmen, über die ich berichtet hatte, strengten Schadenersatzprozesse wegen »Geschäftsschädigung« an. Unter 100 000 bis 250 000 DM Schadenersatzforderung tun sie es in der Regel erst gar nicht.

So versuchten etwa die Benteler-Werke, Paderborn (*Im Stahlrohrwerk*), für das Durchbrechen der Informationssperre eine Entschädigung in Höhe von 100 000 DM durchzusetzen. Die IG Metall, in dem feudalistisch geführten Betrieb damals nicht geduldet, hatte zusammen mit dem Verfasser vor den Werktoren eine Flugblattaktion durchgeführt, wobei die Reportage verteilt und weitere Kampfmaßnahmen angekündigt wurden. In Werksnähe war ein Aktionsbüro eingerichtet worden, das fast ein Jahr lang die Arbeiter dieses Schwerpunktbetriebs mobilisierte; so lange, bis ein starker Gegenbetriebsrat im Werk die Interessen der Arbeiterschaft wahrzunehmen wagte.

Die Benteler-Werke erwirkten über das örtliche Gericht eine einstweilige Verfügung gegen den Verfasser, die Zeitschrift *Metall* und den verantwortlichen Chefredakteur »aus dem Gesichtspunkt der Geschäftsschädigung wie auch aus dem Gesichtspunkt der Ehrverletzung heraus«, die untersagte, »die verleumderischen Attacken, die gegen die Antragstellerin geritten würden, um den bestehenden *Betriebsfrieden* zu stören«, fortzusetzen.

Dem Inhaber der Benteler-Werke, der eine maßgebliche Rolle im regionalen Arbeitgeberverband spielt, kam es allem Anschein nach darauf an, den Verfasser wirtschaftlich zu ruinieren. Wurde der »erlittene Schaden« anfangs noch auf 100 000 DM bemessen, wuchs er anläßlich eines neuen Antrags bereits ins Unermeßliche.

»Der Umfang des der Klägerin durch die schuldhaften und rechtswidrigen Handlungen der Beklagten entstandenen und noch entstehenden Schadens ist im gegenwärtigen Zeitpunkt noch nicht konkret zu ermitteln. Die Klägerin hat daher ein berechtigtes Interesse i. S. des § 256 ZPO an der alsbaldigen Feststellung der Schadensersatzpflicht der Beklagten.

Der Schaden der Klägerin besteht einmal darin, daß durch die Verbreitung der verleumderischen Behauptungen in Arbeitnehmerkreisen der Eindruck erweckt wird, als ob die Klägerin ein Arbeitgeber sei, der seine Arbeitnehmer ausbeute, terrorisiere und sie nicht einmal vor Unfallgefahren schütze. Es bedarf keines Beweises, daß derartige Behauptungen in einer Zeit der Vollbeschäftigung negative Auswirkungen auf ein Unternehmen zwangsläufig haben müssen. Durch den nachbenannten Zeugen wird unter Beweis gestellt, daß das Angebot der Arbeitskräfte um 50 % zurückgegangen ist.

Beweis: Zeugnis des Personalleiters P., zu laden bei der Klägerin.

Der Schaden der Klägerin besteht weiter darin, daß ihre mit Mühen und Kosten aufgebauten Beziehungen zu Abnehmern im Gebiet der sogenannten DDR gestört wird. Die sowjetzonale Presse und der sowjetzonale Rundfunk haben begehrlich die Veröffentlichungen der Beklagten aufgegriffen und verbreitet. Der Name der Klägerin war seit dem Erscheinen der bösartigen Artikel der Beklagten in der DDR nahezu täglich in der Presse und im Rundfunk. Das hat die Geschäftsverbindungen zwangsläufig empfindlich gestört. Der Klägerin sind zahlreiche Mitteilungen zugegangen, die beinhalten, daß man mit einem solchen Unternehmen, das angeblich nach dem ›Führer-Prinzip‹ regiert werde und bei dem Zustände herrschten, wie sie im einzelnen Gegenstand der Unterlassungsansprüche der Klage sind, keine Geschäftsverbindung mehr aufrechterhalten könne.

Beweis: Zeugnis des Prokuristen J., zu laden bei der Klägerin.

Auch dieser Schaden ist z. Z. nicht annähernd meßbar.«

Die »Freie Presse«, Bielefeld, die es gewagt hatte, ausführlich über meine Reportage zu berichten und Teile daraus nachdruckte, wurde mit Entzug der Benteler-Anzeigen bestraft. Innerhalb von 5 Monaten bedeutete das einen Verlust von 15 655 Anzeigen-Millimetern oder 43 862 DM.

Weitere Firmen des Paderborner Raums schlossen sich dem einflußreichen Verbandsmitglied Benteler an, stornierten Inserate oder zögerten mit der Vergabe von Anzeigen. Als die »Freie Presse«, ein nicht so auflagenstarkes SPD-Blatt, aber immerhin ein politisches Gegengewicht in der sonst »schwarzen« Presselandschaft Westfalens, bald daraufhin ihr Erscheinen einstellte, war der Anzeigenboykott dafür mit ausschlaggebend.

In eigener Sache wandte sich Firmeninhaber Dr.-Ing. e. h. Helmut Benteler mit einem Aushang am Schwarzen Brett an seine »Lieben Mitarbeiter und Mitarbeiterinnen!«.

»Nun haben Sie die 3 Nummern der IG Metall-Zeitung mit den famosen Artikeln des Herrn Günter Wallmann erhalten [damaliges Pseudonym des Verfassers]. Die meisten von Ihnen werden sie als das erkannt und eingeschätzt haben, was sie sind und was sie bezwecken: eine auf vielfachen Unwahrheiten und Entstellungen fußende Hetze, um Unruhe in unserem Betrieb zu stiften.

Ich will nicht auf das Niveau dieser Hetzartikel heruntersteigen, insbesondere versage ich es mir, auf die mich persönlich betreffenden Gehässigkeiten einzugehen.

Ich will Ihnen nur einige wenige Tatsachen vor Augen führen und bitte Sie, daraus sich selbst ein Urteil zu bilden.

Herr Günter Wallmann, der verantwortlich für die Artikel zeichnet, hat sich unter dem Namen Günter Wallraff, geb. am 1. 10. 1942 in Burscheid, als Arbeitsuchender in unserem Personalbüro gemeldet und ist in der Adjustage unseres Werkes als Hilfsarbeiter tätig gewesen. Halten Sie es für ehrlich und anständig, wenn sich jemand unter falschem Namen in einen Betrieb einschleicht mit dem geheimen Auftrag, Material für eine Hetze gegen Betriebsleitung und Betriebsrat zu sammeln? ... In vertrauensvoller Zusammenarbeit mit dem von Ihnen gewählten Betriebsrat sind beachtliche Leistungen in unserem Betrieb Jahr für Jahr unseren Betriebsangehörigen zugeflossen. Das soll auch in Zukunft ohne fremde Einmischung – auch nicht der IG Metall – geschehen.

Mit der über die Grenzen des Paderborner Landes hinausgetragenen Hetze wird der Erfolg unserer gemeinsamen Arbeit gefährdet. Wollen Sie es hinnehmen, daß damit letzten Endes auch Ihr Verdienst, Ihr Arbeitsplatz gefährdet wird? Und wollen Sie es sich gefallen lassen, daß ein junger Mann, der ohne fachliche Kenntnisse einmal in einen Betrieb hineinriecht, auch Sie, die Sie zum größten Teil schon jahrelang bei uns treu und redlich Ihre Pflicht erfüllen, als dumm und zum Teil verantwortungslos hinstellt und beleidigt.

Geben Sie diesen Störenfrieden die rechte Antwort, indem Sie sie mit Verachtung strafen.

Ich vertraue auf Ihre Einsicht und die weitere verantwortungsbewußte Mitarbeit aller, die guten Willens sind.«

Benteler versuchte später, nachdem die Gewerkschaft in seinem Betrieb geduldet war, das weitere Erscheinen der Reportage mit allen Mitteln zu verhindern, teilweise durch gezielte Druckmittel auf die Gewerkschaftsbürokratie. Durch sein Aufsichtsratsmitglied, den ehemaligen Goebbels-Anwalt, Staatsrat und Führer der Wirtschaft Dr. jur. Rüdiger Graf von der Goltz –, der in Düsseldorf eine von der Rhein- und Ruhr-Industrie vielkonsultierte Anwaltspraxis betreibt, – versucht er die Gewerkschaftsspitze einzuschüchtern.

Das Schreiben an den Gewerkschaftsanwalt endet zwar statt mit dem Führergruß mit »kollegialer Hochachtung«, Diktion und Geist des Schriftstücks sind jedoch in ungebrochener Tradition geblieben:

»In Sachen Benteler-Werke AG gegen Wallraff nehme ich Bezug auf das mit Ihnen vor einigen Tagen geführte Telefongespräch. Ich hatte Ihnen mitgeteilt, daß Ihr Klient in der ›Welt der Arbeit‹ Nr. 36 vom 9. 9. 1966 . . . nunmehr zwar ohne Namensnennung aber für jedermann erkennbar auf meine Klientin hinweisend wiederum publiziert hat . . .

Da Sie und ich uns seinerzeit um eine vernünftige Regelung bemüht haben, habe ich Sie von dem Vorgang in Kenntnis gesetzt mit der Bitte, daß Herr Wallraff sofort zurückgepfiffen wird und nicht etwa auch im Fernsehen seinen Bericht fortsetzt.

Ich darf bitten, Herrn Wallraff zu veranlassen, eine Unterlassungverpflichtung innerhalb von vier Tagen vorzulegen.«

Gewerkschaftsvertreter sollten hinter den Kulissen zum verlängerten Arm des Unternehmers gemacht werden, mußten jedoch im internen Schriftwechsel bekennen, daß sie keine Möglichkeit hätten, Einfluß auf mich auszuüben. Der Bezirksbevollmächtigte der IG-Metall-Stelle Münster, Janßen (ein Mann vom rechten Flügel der Gewerkschaft) an den Justitiar des IG-Metall-Vorstandes Lung:

Herrn   6 Frankfurt/Main
Robert Lung   Postfach 3069
Industriegewerkschaft Metall
f. d. Bundesrepublik Deutschland
– Vorstand –

30. September 1966

Lieber Robert!

Ich habe mich vor längerer Zeit – und stets im Einvernehmen mit Dir – darum bemüht, die leidigen Prozesse bei Benteler aus der Welt zu schaffen. Das ist mir damals gelungen. Ich kam mit der Geschäftsleitung sogar überein, daß beide (sowohl die Benteler-Werke als auch die IG Metall) sich tolerieren würden und daß bei möglichen sachlichen Auseinandersetzungen man stets um einen Ausgleich sich bemühen wolle . . .

Nun rief mich vor einigen Tagen Herr Dir. Schlewing, mit dem ich seinerzeit die Aussprachen geführt und die Absprachen getroffen habe, an und brachte seinen Unmut darüber zum Ausdruck, daß – wenn auch unter Weglassung des Namens Benteler – in der »Welt der Arbeit« Nr. 34 und Nr. 35 die Artikelserie Wallraffs abgedruckt sei. Ebenso sei im Hessischen Rundfunk entweder, ich weiß es nicht, die Sendung ausgestrahlt worden oder sie stünde unmittelbar bevor.

Ich fühle mich dabei – ehrlich gesagt – nicht ganz wohl, weil ich nicht Gefahr laufen möchte, wortbrüchig zu erscheinen. Zwar habe ich Herrn Schlewing gesagt, daß Wallraff seine Artikel überall hin zu verkaufen sich bemühen könnte, ohne daß wir einen Einfluß hätten, da er kein Redakteur der IG Metall sei. Herr Schlewing gab zu, daß nichts bekannt geworden sei, das – inszeniert durch die Verw. Stelle Paderborn oder durch die Bezirksleitung Münster – den Frieden hätte stören können.

Meine Frage: Haben wir irgendeine Möglichkeit, auf Wallraff einzuwirken, daß die leidige Geschichte nicht hier oder da noch wieder auftaucht? Ich habe sie außerdem nämlich schon in den »Werkheften« und in der Illustrierten des »Vorwärts« wiedergefunden. Beide Publikationen liest Dir. Schlewing offenbar und Gott sei Dank nicht, sonst wäre sein Ärger womöglich noch größer . . .

Mit freundlichen Grüßen
Hans Janßen

Antwort des Kollegen, Justitiar Lung an Janßen:

Industriegewerkschaft Metall	44 Münster
für die Bundesrepublik	Geiststraße 106
Deutschland	
Bezirksleitung Münster	

4. Oktober 1966

Lieber Kollege Janßen!
Dein Schreiben vom 30. September 1966 kam gleichzeitig mit dem Buch von Hans-Günter Wallraff »Wir brauchen Dich, als Arbeiter in deutschen Industriebetrieben« auf meinen Tisch. Damit hat es seine besondere Bewandtnis. In der vorletzten Woche erhielt ich, nachdem man lange nichts mehr in der Benteler-Sache gehört hatte, einen Anruf von Herrn Rechtsanwalt Thon, der mich von einem Anruf des Rechtsanwaltes Dr. Wessing unterrichtete. Dieser habe ihm mitgeteilt, daß Wallraff in der »Welt der Arbeit« Artikel veröffentlicht habe, darunter einen, der den Artikeln über Benteler in der Zeitung »Metall« bis auf Namen- und Ortsangaben gleich sei. Außerdem stehe eine Rundfunksendung mit diesen Artikeln bevor. Herr Dr. Wessing meinte zu Herrn Rechtsanwalt Thon, wenn diese Dinge von Wallraff weiter betrieben würden, werden die Benteler-Werke, so sei er beauftragt, gegen ihn vorgehen, auch wenn Namen- und Ortsangaben nicht erwähnt würden . . .
In der letzten Woche wurde ich dann von dem Kollegen Moneta gebeten, den Verlag Rütten & Loening in München anzurufen, weil dieser bei ihm angerufen habe und im Zusammenhang mit Wallraff gerne eine Unterlage hätte. Das Telefongespräch mit dem Verlag ergab, daß dieser ein Schreiben von Herrn Dr. Wessing erhalten hatte, in dem die

Verbreitung des Buches mit dem bereits erwähnten Titel beanstandet wurde, weil darin die Benteler-Story ohne Namen- und Ortsangaben enthalten sei. Abgesehen von all diesen Dingen, findest Du in der letzten Nummer der Zeitung »Metall« eine neue Artikelserie von Wallraff, »Sinter Zwo«. Dieses Erzeugnis ist auch in dem Buch enthalten. Ich teile Deine Probleme hinsichtlich der Unannehmlichkeiten sehr wohl. Ich habe auch schon zu einem früheren Zeitpunkt, wie aus der beigefügten Kopie hervorgeht, mich Wallraff gegenüber geäußert, aber es fehlt mir die Möglichkeit, irgendeinen Einfluß auf ihn auszuüben.

Mit freundlichen Grüßen
Robert Lung

Schließlich ein unterwürfiges Schreiben des Bezirksbevollmächtigten Janßen an den Direktor der Benteler-Werke, Schlewing:

Herrn   4794 Schloß Neuhaus
Dir. Schlewing
i. Fa. Gebr. Benteler AG

25. November 1966

Sehr geehrter Herr Schlewing!
Meine Bemühungen, auf Herrn Wallraff einzuwirken, die Veröffentlichungen zu unterlassen, waren ohne Erfolg. Der Vorstand schreibt mir, daß man für meine Bedenken Verständnis habe.
Es fehlt dem Vorstand aber jede Möglichkeit, irgendeinen Einfluß auf Wallraff auszuüben . . .
In der Hoffnung, daß unser Einvernehmen durch die neuerlichen Veröffentlichungen des Herrn Wallraff nicht getrübt wird, zeichne ich

hochachtungsvoll
Hans Janßen

Fabrikant Thiele aus Iserlohn setzte sich nach einer zweistündigen Sendung von mir über sein Unternehmen, die der SFB in Koproduktion mit dem NDR ausgestrahlt hatte, direkt mit Intendant Barsig und über die CDU, der er beitrat, mit Programmdirektor Schwarzkopf (CDU) vom NDR ins Benehmen. Hinter den Kulissen schloß Thiele mit den Gesinnungsfreunden Barsig und Schwarzkopf einen Pakt. Obwohl keine rechtliche Voraussetzung vorhanden und kein einziger Punkt meines Berichts widerlegt war, gab man Thiele die Zusicherung, die Sendung weder zu wiederholen noch einer anderen Anstalt auszuleihen.

Anläßlich einer kurzen Fernsehlesung im Dritten WDR-Programm versuchte es Thiele auch bei Werner Höfer, hier allerdings ohne Erfolg. Thiele an Höfer: »Ich hätte es nicht für möglich gehalten, daß ich Sie so schnell bemühen müßte, doch ein Vorgang, der sich am Donnerstag, dem 1. 10. 1970, ereignete, macht es erforderlich, Ihnen das gleiche Ansinnen anzutragen, das ich vor Jahresfrist dem Intendanten des Senders Freies Berlin, Herrn Barsig, angetragen habe. Vor Jahresfrist hat Herr Wallraff eine Rundfunkreportage von zwei Stunden gegen mich ausstrahlen lassen. Der Intendant des SFB hat, nachdem ich mich an ihn gewandt habe, den Vorgang bedauert . . . – An Sie geht meine Bitte zu prüfen, wie ein solcher Mann, der nicht nur mich, sondern auch schon andere Unternehmer und Persönlichkeiten in der gleichen häßlichen Art beschimpft und verleumdet hat, bei den Rundfunkanstalten ankommen kann und Männer, die vor Sorge nicht wissen, wie sie ihre Arbeit erledigen können in der ohnehin schon unruhigen Zeit, beschimpfen und verleumden kann . . . – Meine Herren hatten gelegentlich der Messe in Leipzig voll damit zu tun, diese Beschuldigungen zu widerlegen. Wallraff hatte also erreicht, was er wollte: Große Aufträge, die wir bisher mit unseren Geschäftsfreunden in der DDR abgeschlossen hatten, wurden uns entzogen . . .« Thiele in einem Schreiben an den Norddeutschen Rundfunk: ». . . wird Ihnen deutlich, was wir in Deutschland noch zu erwarten haben, wenn diesen links eingestellten Kreisen auch die öffentlichen Publikationsmittel zur Verfügung gestellt werden . . .« Und in einem Schreiben an den »Sender Freies Berlin«: ». . . Für mich ist es nicht verwunderlich, daß ein Herr Wallraff sich ausgerechnet den Mann und das Unternehmen ausgesucht hat, das sich in einem Wahlkampf die politischen Parteien als ihr Paradepferd aussuchen« (in Anspielung auf seinen CDU-Eintritt).

Auch auf »Sozialpartner«-Ebene gelang es den Mächtigeren, die Wirkung der Reportagen einzuschränken. Zum Beispiel das Zwei-Millionen-Blatt der IG Metall, das die

Berichte von mir seit einiger Zeit abdruckte, wurde durch gezielte Beeinflussung davon abgebracht. Der 3. Vorsitzende der IG Metall erhielt ein Schreiben des Duzfreundes aus dem Vorstand der August-Thyssen-Hütte AG Duisburg:

»... konnte ich Dir bereits mündlich kurz über die Unruhe und Empörung, die über die oben genannte Artikelserie im Hamborner Bereich der ATH herrschen, berichten. Ich möchte dies heute schriftlich ergänzen, ohne dabei auf Einzelheiten einzugehen ... Die Tendenz der Artikelserie ist absolut negativ und herabsetzend ...

Hier werden bis heute anständige Leute in ein Zwielicht gebracht, die es m. E. niemals verdient haben ... Wenn zu mir leitende Angestellte kommen, die ... mir ihre Zweifel an dem Inhalt eines offiziellen Organs des Vorstandes der IG Metall offenbaren und mich fragen, ob das die wirkliche Meinung des Vorstandes in Frankfurt ist, dann gebe ich die Frage hiermit weiter ...

Wie kann man die Dinge aus der Welt schaffen? ... Auf keinen Fall möchte ich durch diesen Brief erreichen, daß eine Diskussion über die Artikelserie in *Metall* stattfindet ...

Ich wage aber kaum zu hoffen, daß durch meinen persönlichen Brief die Fortsetzungsreihe gestoppt werden kann.«
Er täuschte sich. Sie wurde sofort gestoppt.

Der neueste Trend geht dahin, daß Industrieunternehmen bereits vor Veröffentlichung ihre Privatinteressen z. B. durch Druckmittel durchzusetzen versuchen. In einigen Fällen auch durch geschicktes Zusammenspiel mit örtlicher politischer Polizei oder Verfassungsschutzämtern. Hier wird dann eine staatliche Instanz zum verlängerten Arm und Erfüllungsgehilfen der Industrie. Ein illegales Vorgehen; durch Amtsmißbrauch und unter dem Deckmantel der Konspiration. (Meine Arbeit in Industriebetrieben ist selbst nach geltendem bürgerlichen Recht völlig legal. Ich tue nichts weiter, als mir zum Zweck der Aufklärung das als Recht herauszunehmen, was für die Mehrheit der Bevölkerung tagtägliche Pflicht ist.)

Vor kurzem entlarvte sich in meinem Bekanntenkreis jemand als Spitzel des Verfassungsschutzes, der systematisch mein Vertrauen gewonnen hatte, hauptsächlich zu dem Zweck, über in Vorbereitung befindliche Projekte von mir

Bericht zu erstatten. Durch seine Information war auch ein Großkonzern bereits vorgewarnt, als ich mich dort unter falschem Namen und mit verändertem Aussehen als Arbeiter einstellen ließ. Ich wunderte mich dort, wie ich in dem reaktionären Unternehmen mit Glacehandschuhen angefaßt wurde, mir innerhalb des Betriebes auf Wunsch eine bessere Arbeit aussuchen konnte und von den unmittelbaren Vorgesetzten (obwohl ehemalige Militärs) mit ausgesuchter Höflichkeit behandelt wurde. Über eine Woche wurde ich auf Eis gelegt oder besser gesagt, – in Watte gepackt –, bis mir der Konzernbesitzer, als ich es ihm auf den Kopf zusagte, gestand, vorgewarnt zu sein. Der Spitzel, irritiert durch den Widerspruch zwischen dem Bild, das ihm seine Auftraggeber von mir vorgezeichnet hatten und der vorgefundenen Realität, aus dem seelischen Gleichgewicht geraten, hatte sich mir anvertraut.

Noch vor Veröffentlichung meines Berichts über das Fürstenhaus von Thurn und Taxis, das wie im Feudalismus eine ganze Stadt beherrscht, intervenierte das hohe fürstliche Haus auf bloßen Verdacht hin oder durch eine Fehlinformation beim WDR-Intendanten von Bismarck. (Mit Schreiben vom Oktober 1971):

»Betreff: Herrn Günter Wallraff; hier: Vorbereitung eines Berichts über das Haus Thurn und Taxis
1 Beilage

Sehr geehrter Herr Intendant!
Der Buch- und Fernsehautor Herr Günter Wallraff, Köln, hielt sich vor kurzem 3 Wochen lang hier in Regensburg auf, um Material für eine »zeitkritische Untersuchung« über das Haus Thurn und Taxis (auch Thurn und Taxis-Fürstenstory genannt) zu sammeln. Aus Äußerungen einer Benützerin unserer Bibliothek war zu entnehmen, daß zum gleichen Thema möglicherweise auch ein Beitrag zur Sendung im Westdeutschen Rundfunk in Vorbereitung sei.
Auf Grund der Äußerungen von Herrn Günter Wallraff in seinem beiliegenden Interview mit einer Regensburger Wochenzeitung über das hiesige fürstliche Haus haben wir Grund zu der Annahme, daß ein solcher Beitrag den Sachverhalt tendenziös verzerrt wiedergeben könnte. Wir wären Ihnen daher sehr dankbar, wenn Sie uns gegebenenfalls vor

Ausstrahlung eines solchen Beitrags die Möglichkeit einer Stellungnahme zum Manuskript geben würden.

Mit vorzüglicher Hochachtung
I. V.

Von Bismarck forschte daraufhin in den Abteilungen seines Hauses über Rundschreiben nach, wo eine derartige Sendung in Vorbereitung sei; ohne Ergebnis. Auch die Direktion der Bayer-Werke intervenierte vorsorglich; als ich einen Artikel in Zusammenarbeit mit dem VDS-Projektbereich Kriegsforschung über ein Patent des Bayer-Konzerns, das unter die Liste der verbotenen chemischen Kriegswaffen fällt, vorbereitete, erhielt ich folgenden dezenten Drohbrief:

Farbenfabriken Bayer   Leverkusen
Aktiengesellschaft   24. November 1969

Direktion

Herrn
Günter Wallraff
5 Köln
Thebäerstraße 20

Sehr geehrter Herr Wallraff,
aus Berichten der in Leverkusen erscheinenden Zeitungen, insbesondere Leverkusener Anzeiger und Kölnische Rundschau, haben wir ersehen, daß Sie sich dahingehend geäußert haben, daß Sie über unser Unternehmen und die Vermutungen über unsere angebliche Rolle als Kampfstoffproduzent demnächst in Ihrer Zeitschrift berichten wollen. Welche Zeitschrift dies sein soll, wird nicht gesagt.
. . . Wir übersenden Ihnen anliegend unsere Presse-Information vom 14. März 1968, ferner eine Abschrift eines Interviews des Vorsitzenden unseres Vorstandes, das im Zweiten Deutschen Fernsehen am 22. Januar 1969 gesendet wurde, sowie eine Notiz, in der wir zu den unsere Firma betreffenden Behauptungen in dem Artikel »Giftgas für die Bundeswehr« in Heft 21 der Zeitschrift »Konkret« Stellung nehmen.

Durch dieses vielfältige Material sind Sie ausreichend darüber informiert, daß die verschiedenen Behauptungen, wir seien auf dem Gebiet der Kampfstoffe tätig, unwahr sind. Sie stellen eine Verleumdung unserer Firma dar, vor deren Weiterverbreitung wir Sie ausdrücklich warnen.

Es ist Ihnen im übrigen sicher bekannt, daß Verleumdungen nicht nur dann vorliegen, wenn jemand die betreffenden Behauptungen selbst aufstellt, sondern auch dann, wenn er entsprechende von dritter Seite gemachte Angaben verbreitet. Alle aus einer weiteren Verbreitung derartiger Verleumdungen sich ergebenden Konsequenzen hätten Sie selbst zu tragen.

Hochachtungsvoll
Farbenfabriken Bayer AG

Nach der Veröffentlichung verstanden es die Bayer-Werke durch die Einberufung einer Groß-Pressekonferenz, zu der sie neben Vorstandsmitgliedern einige ihrer bestbestallten Wissenschaftler aufboten, die Öffentlichkeit hauptsächlich in ihrem Sinne zu beeinflussen. Die Wirtschaftsjournalisten, – bis auf einige Ausnahmen – autoritäts- und industriehörig machten fast ausschließlich die Argumente des Bayer-Konzerns zu ihren eigenen.

Ich kann meine Industriereportagen fast nur noch in der Zeitschrift »Konkret« veröffentlichen, da »Konkret« zur Zeit fast ohne Industrie-Anzeigen auskommt, beziehungsweise auskommen muß, insofern meine und andere dort veröffentlichten kritischen und politisch nicht genehmen Beiträge potentielle Anzeigekunden vom Inserieren abhalten. Der folgende Brief der Industriefirma IBELO an die Anzeigenabteilung von »Konkret« läßt zum Beispiel an Deutlichkeit nichts zu wünschen übrig. Er beweist, welche Macht privatwirtschaftliche Interessen auf den redaktionellen Teil einer auf Werbung angewiesenen Zeitschrift auszuüben in der Lage sind:

».. . Die in dieser Zeitschrift angefaßten heißen Eisen lassen in der Art ihrer Thematik keine Werbung für Industrieprodukte zu. Der für Ihre Themen offene Leserkreis würde sich durch die Werbung für einen Industrie-Markenartikel nicht nur von seinem Thema abgelenkt fühlen, sondern diese Unterbrechung im Text störend empfinden und im Endeffekt auf den werbend angebotenen Artikel unrastigen Ärger haben. Das wollen wir keinem Ihrer Leser zumuten. Deshalb ist leider für uns keine Einschaltungsmöglichkeit in Ihrer Zeitschrift gegeben. Mit freundlichen Grüßen, IBE-LO-Metallwarenfabrik.«

Die meisten Blätter kommen den besonderen Erwartungen ihrer Anzeigenkunden natürlich von vornherein entgegen, bereiten die Werbewirksamkeit, direkt oder indirekt, im redaktionellen Teil vor. Beim Jugendmagazin »twen« zum Beispiel unterschied sich lange Zeit das Textbild kaum oder überhaupt nicht vom Werbebild. Das ganze Magazin war eine einzige Aufforderung zum ungehemmten Konsum. Text und Textbild dienten oft nur als Köder für Inserate, so eine reichbebilderte Geschichte über ein junges Paar mit dem Titel »Flirt mit Rauch«. Die Inserate der Zigarettenindustrie ließen nicht lange auf sich warten.

Seit »twen« eine kritische Linie verfolgte (Lehrlingsreport, Dokumentation über Rechtskartell usw.), drohten für die Existenz der Zeitschrift lebensnotwendige Großanzeigekunden bei Beibehaltung der neuen Richtung abzuspringen. »Esso« machte den Anfang und zog eine bereits in Auftrag gegebene doppelseitige Buntanzeige wieder zurück. Begründung: in einem Artikel sei der Begriff »Kapitalismus« in negativ-geringschätziger Weise verwandt worden. Die kurz darauf erfolgende Einstellung der Zeitschrift war durch den Anzeigenboykott mit verursacht.

In zunehmendem Maße wird Journalismus Anschlußstelle zur Werbung, und viele Journalisten verändern sich dann auch folgerichtig in dieses Ressort. (Die Veränderung von Ahlers zum Hofausrufer ist ein ähnlicher Schritt; er hat für eine gute Verpackung der nicht immer einwandfreien Ware zu sorgen. Aus dem ursprünglichen Berufsbild des Journalisten, dem Aufklärer, ist in beiden Fällen ein »Einhüller«, »Einluller« geworden, zumindest fühlt er sich statt seiner Erkenntnis und seinem Gewissen seinem Auftraggeber verpflichtet und verantwortlich.)

Selbst im Feuilletonbereich wird eine kritische Berichterstattung unterschlagen. Einem Journalisten von der Mainzer »Allgemeinen Zeitung«, der den Auftrag hatte, über

zwei Testvorlesungen von mir in der Mainzer Universität zu
berichten (Publizistik-Studenten hatten mich für zwei Se-
mester als Gastdozenten vorgeschlagen), wurde in einem
Schreiben vom Feuilletonchef die Gründe für das Nichter-
scheinen des Artikels mitgeteilt. (Obwohl an die 400 Studenten den Vortrag für angebracht und wichtig ansahen,
unterblieb die neutrale Berichterstattung, weil der Journalist einige Äußerungen von mir zitierte, die dem verantwortlichen Redakteur politisch nicht in den Kram paßten). Bemerkenswert in diesem Schreiben ist die pauschale Einschätzung der »Öffentlichkeit« als urteilsunfähig und mani-
pulierbar, worauf die Berichterstattung der Mainzer »Allgemeinen Zeitung« zu spekulieren scheint.

Feuilleton-Redaktion
65 Mainz · Pressehaus · Große Bleiche 44–50 · Tel. 1441

Allgemeine Zeitung   65 Mainz
Feuilleton-Redaktion   Große Bleiche 44–50
Pressehaus

                                      28. Januar 1972
Lieber Herr Bilke,
ich muß gestehen, ich hatte mir unter dem Vortrag Wallraff
etwas anderes vorgestellt. Bei der Lektüre Ihres sehr sorg-
fältig abgefaßten Manuskripts wurde mir klar, daß ich diese
Arbeit von mir aus nicht veröffentlichen würde. Diese Pau-
schalurteile über Journalismus in *Deutschland* kotzen mich
an und ich denke nicht daran, sie auch noch der *Öffentlichkeit, die ja alles für bare Münze nimmt*, vorzusetzen.
Ich habe mir beim Chefredakteur Rückendeckung geholt.
Er hat von einer Veröffentlichung dringend abgeraten. Sie
werden für Ihre Mühen selbstverständlich mit einem Aus-
fallhonorar entlohnt. Das Manuskript gebe ich mit Dank
wieder zurück.

                                      Besten Gruß
                                      (Martin Ruppert)

Zum Schluß noch eine Rekonstruktion aus geheimen Industrieakten, die ich vor kurzem in die Hand bekam, deren knappe, teilweise handschriftliche Kommentierungen zeigen, mit welchen Machenschaften Industriemächtige ihre Profitinteressen durchzusetzen in der Lage sind; wie im Chikagoer Gangstersyndikatsstil demokratische Willensentscheidungen des Volkes und der Kommunalpolitik im Sinne und zugunsten des Konzerns aufgehoben und umgebogen werden, mittels Bestechung, mit Druck- und Drohmitteln und Manipulation der Presse, die sich hier als Wachs in der Hand der Konzerngewaltigen erweist.

Der Tatbestand: Die Essener »Steinkohlen-Elektrizitäts-AG« (Steag) und neun andere Zechengesellschaften wollten im Kreis Dinslaken in einem Erholungs- und Trinkwasserschutzgebiet ein Kohlekraftwerk errichten. Die Mehrheit der Bevölkerung war wegen der drohenden Luftverschmutzung dagegen. Die Steag setzte sich durch.

Im Auftrag der Vorstände der beteiligten Gesellschaften inszenierte der damalige Steag-Pressemann Benthien eine Kampagne, die die Kraftwerksgegner diffamieren und die öffentliche Meinung zugunsten der Steag umdrehen sollte.

Ende 1965 hatte der Gemeinderat im niederrheinischen Voerde den Erwerb eines Grundstückes für das geplante Kraftwerk mit 26 gegen 5 Stimmen abgelehnt, da die Mehrheit der Bevölkerung dagegen war.

Acht Ärzte, ein Oberstudienrat und drei Ingenieure hatten eine Bürgerinitiative gegründet und in einem Flugblatt vor der »Massenvergasung« gewarnt, die durch den täglichen Schlotauswurf von 720 000 Kilo Schwefeldioxyd verursacht würde. In den Steag-Akten findet sich dazu der Vermerk: »Anschießen« und »Knappschaftsärzte«, im Klartext: Überprüfen, ob es sich bei den Flugblatt-Unterzeichnern um Knappschaftsärzte handelt, dann könnte über die Zechengesellschaften Druck ausgeübt werden.

Zu einem Bericht in der »Neuen Ruhr Zeitung« über das Flugblatt vom 10. Januar 1966 ist angemerkt: »KZ-Opfer auftreiben in KZ-Gedenkstätte Oberhausen, sie zu Protest gegen ›Massenvergasung‹ veranlassen. Weil ›Spiel mit den Leiden der Opfer des Nationalsozialismus‹, tiefster Protest!« Sechs Tage später ist die Vollzugsmeldung notiert: »Bauer, Stappert und Kalowka sind bereit, namens ihrer

Leidensgefährten zu protestieren und sich an die Presse zu wenden. Termin muß noch abgesprochen werden.«

Als mögliche wirtschaftliche Sanktion ist festgehalten: »Wer zahlt Gegnern Plakate? Herausfinden! Druckerei aushorchen, notfalls Aufträge unter Vorwand entziehen! Aber nur als allerletztes Mittel!«

Der Hauptinitiator der Bürgeraktion, der Diplomingenieur Baßfeld, der sich von den Steag-Bossen nicht weichmachen ließ, wird mit folgender Aktennotiz zum Abschuß freigegeben: »Jetzt Baßfeld lächerlich machen. Material frei!« Um die Bürger-Protestversammlungen in die Hand zu bekommen, wurden Bergleute mobilisiert, die bereits lange vor Beginn die meisten Plätze besetzten. Die »WAZ« (»Westdeutsche Allgemeine Zeitung«) berichtete dazu, daß Bergleuten nach einer dieser Versammlungen von einem »dicken Mann in einem dreiviertellangen fischgrätgemusterten Mantel« je ein Zwanzig-Mark-Schein in die Hand gedrückt wurde. In den Steag-Akten heißt es zu diesem Bericht: »Panne! Kahlert vergattern, daß dies nicht noch einmal passiert!« Zu diesem Artikel eine weitere handschriftliche Notiz über den verantwortlichen Redakteur der »WAZ« Holfred: »Hol. Falschmeldungen über dritte Personen zukommen lassen.« Dieser Redakteur, der bis zuletzt unbestechlich über die Bürgeraktionen gegen die Steag berichtet, mehrmals jedoch wegen ungenauer und falscher Berichterstattung (s. oben) in öffentlichen Beschuß geriet, befindet sich heute in einer psychiatrischen Klinik. (Inwieweit Steag ihn auf dem Gewissen hat, recherchiere ich zur Zeit noch).

Zu einem negativen Bericht über das Steag-Kraftwerk im mittlerweile eingestellten Düsseldorfer »Mittag« heißt es: »H. soll (dem Journalisten) S. auf die Finger klopfen . . . Der Mittag muß sich raushalten! Sonst Katze aus dem Sack.« (Welche erpresserischen Mittel damit gemeint sind, sei dahingestellt.)

Wer sich mit der Industrie arrangiert, wird auch sonst mit interessanten Informationen beliefert, wer sich industriekritisch äußert, wird – trotz des gesetzlich garantierten Informationsanspruchs der Presse – vom Informationsstrang abgeschnitten. Eine handschriftliche Notiz belegt das: »Vorzugsweise NRZ (›Neue Ruhr Zeitung‹) mit Nachrichten und Meldungen beliefern, damit sie anderen voraus ist.

Auch andere interessante Meldungen lancieren.« Wie es zu dieser »Bevorzugung« der »NRZ« kam, erklärt eine vorhergehende Notiz: »Bei Wagemann NRZ bedanken.« Wagemann ist der Lokalchef der NRZ. Die Berichterstattung der NRZ wurde seit dieser Vier-Worte-Notiz zunehmend pro Steag.

Dann wurden Besichtigungsfahrten für Journalisten und Politiker zu anderen Kraftwerken organisiert, um deren »Ungefährlichkeit« zu beweisen. In einem Vermerk, der an die Vorstände von drei Firmen gerichtet ist, heißt es: »Wir müssen damit rechnen, daß die Kraftwerksgegner vorher oder hinterher die umliegenden Bewohner befragen. Das sind zwar ausschließlich Bergleute, aber sie müssen vorbereitet sein . . . Die Kumpel müssen den Eindruck bekommen, daß man sie und ihre Arbeit nicht mag und daß man ihre Sorgen nicht versteht. Dann werden sie die richtigen Antworten schon geben.«

Die Besichtigungs-Aktionen waren erfolgreich, die lokalen Zeitungen begannen zunehmend für die Steag und ihre Pläne zu berichten: sie druckten, ohne es zu wissen, von den Gesellschaften bestellte Leserbriefe und schließlich erklärte Voerdes Bürgermeister Schmitz Ende Februar 1966: »Wir sollten froh sein, wenn es (das Kraftwerk) nach Voerde käme.«

Am 8. März 1966 beschloß der Gemeinderat Voerde mit 22 gegen 9 Stimmen, der Steag das gewünschte Baugelände zur Verfügung zu stellen.

In einem abschließenden Aktenvermerk der Steag heißt es: »Dadurch hatte sich die Steag rund 250 Millionen Mark gespart, weil sie nunmehr direkt am Rhein bauen konnte . . . Die Mehrheitsfraktion der SPD hatte unter der Hand verlauten lassen, sie würde bei einem Stimmungsumschwung für das Projekt stimmen . . . So gesehen war es von vornherein notwendig, im wesentlichen Wählergruppen der SPD anzusprechen und dort in den Aktionen anzusetzen . . . Unsere Vorbereitungen gingen abschließend so weit, daß wir dem Fraktionsvorsitzenden der SPD die Rede schrieben, daran etwa 2 Tage herumfeilten, sie mehrere Male auf ein Tonband sprechen ließen und sie auch sprachlich und mimisch vorbereiteten . . .« Zynische Schlußbemerkung im Steag-Protokoll: »Der Fraktionsvorsitzende der SPD und auch seine Gegner haben nach der Abstimmung gesagt, dies sei die beste Rede seiner politischen Laufbahn gewesen . . ., so daß auch deswegen das Abstimmungsergebnis für die Steag mit einigen Stimmen besser war, wie wir aus der FDP-Fraktion hören konnten. Eine sehr knappe Abstimmung zugunsten des Kraftwerks hätte die Kraftwerksgegner überdies mit Sicherheit zu weiteren Aktionen veranlaßt, dazu kam es aber nicht, denn sie resignierten nach der Abstimmung völlig.«

Für den ehemaligen Steag-Pressemann Benthien waren alle diese Maßnahmen von prinzipieller Bedeutung, denn, so erklärt er jetzt: »Beim Scheitern des Projekts am Widerstand der Bevölkerung wäre ein »Präzedenzfall geschaffen worden, der ein Eindringen der Industrie in diesen Raum auf lange Zeit blockiert hätte.«

Dieser Vorstands-Beauftragte gibt heute zu, daß diese Kampagne erst der Auftakt für die Industrie gewesen sei, in diesem Gebiet »einen Fuß in die Tür zu setzen«.

Nachdem die Tür offen ist, plant jetzt der Industriegigant VEBA gegenüber von Voerde im Rheinbogen bei Orsoy ein Chemiewerk, das nach einem Gutachten der »Landesanstalt für Immissions- und Bodennutzungsschutz« pro Stunde 10 000 Kilogramm Schwefeldioxyd, 4000 Kilogramm Schwefelwasserstoff und 1700 Kilogramm Stickoxyde auf die Anwohner herabregnen lassen würde.

Die Bevölkerung wehrte sich auch gegen dieses Werk – ohne Erfolg.

Wirkungen in der Praxis*

»Einige Schriftsteller verwenden heute die gewöhnlichen Leute – Arbeiter und Bauern – als Material für ihre Romane und Gedichte, und das hat man Literatur des Volkes genannt, während es in Wirklichkeit nichts dergleichen ist, denn das Volk hat den Mund bis jetzt noch nicht geöffnet. Diese Werke drücken die Gefühle von Zuschauern aus, die dem Volk Worte in den Mund legen.«
Soweit der chinesische Revolutionsschriftsteller Lu Hsün über die vorrevolutionären Verhältnisse seiner Zeit.
Das Zitat ließe sich ohne weiteres auch auf unsere Situation anwenden. Der Arbeiter – überhaupt der Produktionsbereich – wird langsam gesellschaftsfähig auf dem Literaturparkett, sickert sogar ein in die Programme der Fernsehanstalten, wohldosiert und verallgemeinert meist, jedenfalls nicht nachprüfbar und für die meisten unverbindlich bleibend, ein Panther mit gezogenen Zähnen und herausgerissenen Krallen, also Fernsehspiel und Kunst.
Im gewissen Sinn eine Modeerscheinung, aus Übersättigung des Marktes an großbürgerlichen Gerichten heraus eine Notwendigkeit geworden, aus Überfluß an allzu vielen delikaten Saucen und Spezereien. Man ißt halt mal zur Abwechslung auch Schwarzbrot, um sich dann mit neu gewecktem Appetit wieder den delikateren Genüssen zuwenden zu können. Ich will sagen: je mehr diese Stoffe aus der sogenannten Industrie- und Arbeitswelt von den Apparaten der Bewußtseinsindustrie aufgenommen werden, um so schneller und leichter werden sie verdaut und konsumiert. Auf Mini folgt Maxi, auf Abstrakt folgt Pop, auf Absurd folgt Realistisch. Die Formen erneuern sich ständig und kaschieren, daß sie Inhalte, die Zustände beim alten belassen werden. Dem Künstler, dem Schriftsteller fällt in dieser Gesellschaftsordnung die Rolle des Modeschöpfers, des Designers zu. Er hat für die jeweils neuen Verpackungen des immer gleichen Systems zu sorgen.

* Referat, gehalten auf einer Arbeitstagung der »Werkstätten Literatur der Arbeitswelt«, in Gelsenkirchen; hier in überarbeiteter und erweiterter Fassung.

Nur etwa 5 Prozent der Menschen dieses Staates sind so privilegiert, sich hin und wieder in einer Buchhandlung »auf dem laufenden zu halten« und Bücher kaufen zu können. Mehr als 45 Prozent der Bevölkerung besitzt kein Buch. Dahinter die konstante Größe von nur 5 Prozent der Studierenden, die aus Arbeiterfamilien stammen.

Diese Zahlen bestimmen den Stellenwert des Schriftstellers in dieser Gesellschaft. Er ist nicht viel mehr als der Hofnarr des feudalistischen Zeitalters, eine Art »Vorzeigeidiot«, wie Böll sagt. Er kann sich gebärden wie er will, exzentrisch oder sanft, pervers oder moralisch, formalistisch oder revolutionär: er wird auf jeden Fall verkraftet, liegt an der goldenen Kette als Privilegierter unter Privilegierten, hat für die gefügig gemachte und verfügbare Masse die gleiche Relevanz wie ein Hausaltar in einer Arbeiterwohnung.

Dazu die verschiedenen Sprachen, die in diesem Land gesprochen werden und nicht von ungefähr kommen, auf den Schulen in die Hirne gegossen werden und die Sprach- und Bildungsbarrieren auf Lebenszeit errichten. Immer noch gilt für die herrschende Literaturkritik (und das ist immer noch mehr oder weniger die Kritik der Herrschenden): je verklausulierter und unverständlicher ein literarisches Werk ist, um so sicherer ist ihm die Anerkennung der Kritiker. Diese eigengesetzliche esoterische Tendenz in der Literatur hat bisher den stärksten Ausdruck in der Lyrik gefunden.

Nach wie vor fördert die verselbständigte Wissenschaft, die sich mit Literatur beschäftigt, die Germanistik, das Interesse an Literatur auf Kosten von Interesse an der Gesellschaft.

Aufgabe der Werkstätten kann und darf es nicht sein, in einer Art Zweiter Bildungsweg oder auch nur als Hilfsschule dem großbürgerlichen Kultur- und Literaturleichnam Frischzellen zuzuführen, nur um ihn etwas länger vorm Stinken zu bewahren.

Peter Schneider sagt in seinem Essay: »Phantasie und Kulturrevolution« die spätbürgerliche Kunst tot: »Die Kunst jener verzweifelten Einzelleistungen, welche die Verzweiflung der ungeheuren Mehrzahl lediglich auf eine schöne Form bringt und ihre ›verpönten‹, nämlich gesellschaftlichen Quellen unsichtbar macht, die Kunst, die – ohne irgendein Zeichen der Überraschung oder Empörung – mitten im Überfluß nichts weiter artikuliert als Entsagung,

Verzicht und Kaputtsein, die Kunst, die den Massen ihr Elend nur zeigt, um sie daran zu gewöhnen, diese Kunst ist tot und muß zu Grabe getragen werden.«

Der neue Typ des Schriftstellers oder Wortarbeiters (wenn er seine neuen Aufgaben erst mal entdeckt hat und wahrnimmt, wird sich auch ein neuer zutreffender Begriff für ihn finden lassen) sollte nicht länger unter der Schutzbezeichnung »Künstler« firmieren, er sollte von den gleichen Bedingungen und Bedürfnissen derer ausgehen, die er zu vertreten vorgibt.

Peter Schneider fordert in seinem Manifest: »Die Künstler, falls es sich da um Leute handelt, die ihre Phantasie vom Kapital noch nicht haben zerrütten lassen, haben dabei die Aufgabe, den Arbeitern, Schülern, Studenten bei der Artikulation ihrer Wünsche zu helfen und ihnen den Weg zu ihrer politischen Organisation zu zeigen. Dabei müssen sie, den Bedingungen der Fabrik, der Universität, der Schule entsprechend, eine Agitation entwickeln, die dem Unterdrückungsniveau des Spätkapitalismus entspricht: also sowohl die materielle wie die libidinöse Ausbeutung bloßstellen.« Weiter fordert Schneider: »Kultivieren wir die Fähigkeit der Arbeiter, Schüler und Studenten, Unterdrückungen nicht ertragen zu können und sie schon von weitem zu riechen. In der Bundesrepublik soll angeblich jeder dritte Erwachsene heimlich ein Tagebuch führen. Holen wir diese eingeschlossenen und weinerlich gewordenen Sehnsüchte aus den Schubladen und verwandeln sie in ebensoviel Waffen gegen den Kapitalismus.«

Nicht Literatur als Kunst, sondern Wirklichkeit! Die Wirklichkeit hat noch immer die größere und durchschlagendere Aussagekraft und Wirkungsmöglichkeit, ist für die Mehrheit der Bevölkerung erkennbar, nachvollziehbar und führt eher zu Konsequenzen als die Phantasie des Dichters. Dieses Wachrufen aus der längst hingenommenen Gewöhnung, das Aufstacheln des Willens zur Veränderung, diese Aufforderung zu konsequent-politischem Denken ist Voraussetzung für die Erkenntnis, daß dieses Denken nicht innerhalb der Literatur, sondern innerhalb der ganz und gar politisierten (und deshalb nur politisch anzugehenden) Wirklichkeit liegt und – wenn möglich – über die Änderung des Bewußtseins zur Veränderung der Gesellschaft führt.

Aufgabe der Werkstätten kann es nicht sein (und es käme von vornherein einer Selbstaufgabe gleich), in einer Art Nachhilfeunterricht Stilkunde zu betreiben und die teilweise schon ausgezehrten Formen der großbürgerlichen Literatur wie Glosse, Kurzgeschichte, Feuilleton, verschiedene Versmaße, Romanformen und Dramen einzupauken, damit einen eventuell schon vorhandenen Bildungskomplex noch zu vergrößern und statt zu entwickelndem Selbstverständnis Anpassung zu betreiben.

Die geeigneten Mittel, Bewußtsein zu erweitern, um Änderungen zu bewirken, sind noch nicht gefunden. Man ist zusammengekommen, um sich darüber zu verständigen, eventuell gemachte punktuelle Erfahrungen und Ansätze weiterzuentwickeln und zu systematisieren.

Bevor wir uns den Sprachmöglichkeiten zuwenden, sollten wir taktisches, methodisches Vorgehen erörtern: Bevor wir uns unseren eigenen subjektiven Empfindungen überlassen, sollten wir bereits politisch arbeitende Gruppen und betroffene einzelne konsultieren. Wir haben zum Beispiel Fragebögen entwickelt, die durch eine Vielzahl informativer und kritischer Fragen (von einer Anzahl Kollegen eines bestimmten Betriebes beantwortet) einen Betrieb erst mal transparent werden lassen, neuralgische Punkte herauskristallisieren, um daraufhin innerhalb der Gruppe eine Dokumentation zu erstellen oder Flugblätter zu verteilen. Falls die Organisation innerhalb des Betriebs noch zu schwach ist und falls Repressalien zu befürchten sind, (was in der jetzigen gesellschaftlichen Situation fast immer der Fall ist) muß man mit Gruppen von außerhalb zusammenarbeiten, die es sich leisten können, die Flugblätter oder Papers vor oder nach Schichtschluß vor den Werktoren zu verteilen und gleichzeitig für einen bestimmten Zeitpunkt zu einer Veranstaltung aufzurufen.

Wichtig für das Erstellen solcher Dokumentationen ist eine vorausgegangene langfristige Materialsammlung. Alles Erreichbare erst mal zusammentragen und sichten. Betriebsordnungen, Firmenbilanzen, Prospekte, Jubiläumsschriften, Chefreden, mitgeschriebene oder auf Band aufgenommene Betriebsversammlungen, Lehrlingslossprechungen oder Jubilarverabschiedung, Einweihungsfeier eines neuen Werkteils, Betriebsausflug, bestimmte Aushänge vom

Schwarzen Brett, Entlassungsschreiben, Firmen-Schreiben, die die Kündigung androhen, zur Anpassung und zum Wohlverhalten auffordern, Weihnachtsschreiben, Würdigung der Firma in der Lokalpresse, Anzeigen usw. usw. In Verbindung setzen mit ehemaligen Kollegen, die freiwillig ausgeschieden sind oder »gegangen wurden«, die jedenfalls jetzt nichts mehr riskieren und reden können. Selbstbeweihräuchernde Selbstdarstellungen der Firma konfrontieren mit dem, wie es wirklich ist in der Firma. (Wichtig: Keinen Informanten, der noch in der Firma tätig ist, dabei gefährden, sich von wichtigen Informanten eidesstattliche Erklärungen schriftlich geben lassen, da die Erfahrung lehrt, daß die Firmenleitung nach Veröffentlichung oft versucht, Informanten unter Druck zu setzen oder zu bestechen, um sie so zum Widerruf zu bewegen). Wenn möglich, mit örtlichen Gewerkschaftsstellen zusammenarbeiten.

Darüber hinaus sind vor allem Konzernverflechtungen und sonstige außerbetriebliche Einflüsse zu untersuchen. Ist das Unternehmen eine AG, dann Bilanzen veröffentlichen. Es ist möglich, daraus den im Betrieb erwirtschafteten Mehrwert zu errechnen. Das geschieht durch eine externe Bilanzanalyse, am besten mit Hilfe eines Betriebswirts. (s. hierzu: Kelb »Betriebsfibel«, Wagenbach Verlag 1971)

Den Chefs »aufs Maul schauen« und das Vorgegebene messen am Wirklichen. Meist kann eine solch verblüffende Konfrontation stärker entlarven, Respektlosigkeit erzeugen und den ersten Schritt zur Solidarisierung tun, als es die härteste fiktive Satire vermag.

Die genau beobachtete und registrierte Wirklichkeit ist immer phantastischer und spannender als die kühnste Phantasie eines Schriftstellers. Nie denken: das ist uninteressant, das weiß doch hier jeder sowieso, und da haben wir uns schon dran gewöhnt! Das festgehaltene, geschriebene Wort schafft Distanz, macht das Gesprochene festlegbar, nachprüfbar. Es stellt, wenn es entsprechend abgeklopft und eventuell mit knappen Kommentaren versehen wird, Autorität in Zweifel, ist der erste Schritt zu einer späteren Analyse. Bei jeder Gelegenheit Öffentlichkeit herstellen, wo abgeschirmt wird. Alles das sagen, was »man nicht sagt«. Angefangen zum Beispiel bei den Gehältern der leitenden Angestellten. Verbindung aufnehmen mit ehemaligen Arbeitern und Angestellten. Hier ist die Bereitschaft, über ihre Erfahrungen im Betrieb zu berichten, oft eher gegeben. Die Furcht vor Repressalien oder sonstigen Nachteilen ist hier geringer.

Auf Anzeigen in örtlichen Zeitungen melden sich oft zahlreiche Informanten bis hin zu gekündigten höheren Angestellten, die bereit sind »auszupacken« (zum Beispiel auf folgende Anzeige in den Mindener Tageszeitungen meldeten sich mehrere Dutzend Informanten):

»Journalist sucht für umfassende Melitta-Reportage noch Dokumente, Fakten, Vorkommnisse, Erlebnisberichte von einst und jetzt. Ehemalige und jetzige Beschäftigte bitte melden.

(Chiffre)«

Bei den verbindenden Kommentaren auf größtmögliche Verständlichkeit aus sein. Nicht gestalten, »Literatur-machen-Wollen«, sondern die Vorkommnisse und Zustände für sich sprechen lassen. Hervorragendes Mittel der Dokumentation ist die Montage, sie soll über die bloße Wiedergabe von zufälligen Realitätsausschnitten hinausgehen. So kann sich der Zusammenhang für den Leser entweder durch die Anordnung und Kombination der Realitätspartikel herstellen. Vor allem das Mittel des Kontrastierens, das auf Widersprüche und Brüche der Realität hinweist, setzt den Leser in die Lage, selbst aus dem ausgebreiteten Material Schlußfolgerungen zu ziehen. Oder aber die Erklärung, der Kommentar wird in Form von Zwischenüberschriften, Zwischentexten oder Szenen der Darstellung von Realitätsausschnitten einmontiert, wobei der »Bruch«, der Wechsel der Form, bewußt herausgestellt wird. Wenn Kollegen damit einverstanden sind, mit ihnen Tonbandprotokolle machen. Nach und nach das Gespräch so intensivieren (es braucht Zeit, und wenn möglich an verschiedenen Tagen fortsetzen), daß die anfängliche Befangenheit verlorengeht. Bei der Auswertung solcher Tonbandgespräche keine besessene Sprachkolorit-Genauigkeit an den Tag legen. Versprecher ruhig korrigieren und nicht jede Sprachunbeholfenheit, die einen sonst ernsten Sachverhalt leicht in unfreiwilligen Humor abgleiten läßt, auf sich beruhen lassen. (Auf keinen Fall sollte die Hauptwirkung in einem kulinarischen Effekt bestehen.) Derartige Tonbandabschriften weisen oft erstaunliche Sprachkraft auf, sind der reinen Schreibsprache an Intensität, Informationsgehalt und sozialer Wahrheit überlegen und können den Befragten, wenn er die Abschrift des Gesprächs vorgelegt bekommt, ermutigen, falls er sich weiter schriftlich äußern will, sich nicht literarisch zu verkrampfen und seine eigene Sprache zu finden.

Wenn innerhalb des Herrschaftsbereichs des Betriebes Informationssperren und Lügentarnwände errichtet sind und wenn der begründete Verdacht vorliegt, daß damit Reaktionäres und Illegales, was grob gegen die Interessen der Mehrheit der Kollegen verstößt, aufrechterhalten wird, eventuell gewisse Rollentechniken benutzen. (Erfahrungen liegen hier vor.) Betriebshierarchie, Untertanengeist, Autoritätsgläubigkeit und die anerzogene Bereitschaft, auf Befehl von oben Auskunft zu erteilen, leisten hier bei der Beschaffung von Informationen, am besten über Telefon, hervorragende Dienste. (Je höher der vorgegebene Dienstrang, um so munterer sprudelt der lautere Quell der sonst vorenthaltenen Wahrheit hervor.)

Bei sonstigen Befragungen hat sich bewährt, zum Schein auf die reaktionäre Gesinnung des jeweiligen Gegenübers einzugehen (wie der Psychiater bei der Exploration seines Patienten auch auf ihn eingeht und dessen Meinung streckenweise zum Schein teilt). Hier geht es nicht darum, private, sondern gesellschaftliche Krankheiten in Erfahrung zu bringen und sichtbar zu machen.

Bei Veröffentlichungen den Grundsatz beherzigen: Nicht öffentliche Personen, das heißt Namenlose, in ihrer Anonymität belassen. Nicht unnötig Einzelpersonen Schwierigkeiten bereiten. Das Prototypische herausarbeiten – nicht personifizieren. Zeigen, daß es keine Einzelfälle sind, keine einfach wegzuretuschierenden Mißstände, vielmehr systemimmanente Zustände.

Die Nennung von Name, Ort, Zeit (also durch Heraustreten aus dem Fiktiven) erhöht die Glaubwürdigkeit. Das Dargestellte wird nachprüfbar. Zum andern, die aus ihrem Schonbereich hervorgeholten Repräsentanten geraten unter öffentliche Kontrolle. Autorität (zuweilen Ehrfurcht) wird zerstört, indem zum Beispiel Namen, die vielleicht im regionalen oder auch überregionalen Bereich zu Gütezeichen oder Symbolen geworden sind, als das demaskiert werden, was sie in Wirklichkeit sind: Symbole der Ausbeutung. Erste Ansätze des Willens nach Änderung und Befreiung können so entstehen.

Ich bin der Meinung, daß sich die zu leistende Arbeit mehr und mehr von der reinen Bestandsaufnahme hin zu der gleichzeitig vollzogenen Aktion und Veränderung hinentwickeln muß und daß sich die Erfolge unserer Arbeit nicht in Besprechungen in Feuilletonspalten ablesen lassen dürfen. Ich meine, daß wir unsere Anregungen, Korrekturen und Widerstände – also unsere Wirkungen – in der Praxis zu erfahren haben.

Fragebogen für Arbeiter*

Dieses Modell sollte je nach dem Gebrauch, den politisch arbeitende Gruppen oder einzelne damit machen, gekürzt, erweitert, verändert und der jeweiligen Struktur des zu untersuchenden Betriebs angepaßt werden. Von einer Anzahl Arbeitern aus verschiedenen Bereichen eines Betriebes beantwortet, kann ein Unternehmen transparent gemacht werden, um Öffentlichkeit herzustellen.

I

1. In welcher Branche arbeiten Sie?
2. Gehört der Betrieb, in dem Sie arbeiten, einem Privatbesitzer oder einer Aktiengesellschaft? Sonstige Rechtsform?
3. Wie heißt der Privatbesitzer bzw. der Direktor der Gesellschaft? Kennen Sie die Namen der Mehrheitsaktionäre?
4. Sind die unter 3) genannten Personen Mitglieder einer Unternehmer-Organisation (Arbeitgeberverband)? Sind sie einfache Mitglieder oder haben sie eine Sonderfunktion? Welche?
5. Ist der Betrieb Teil eines größeren Unternehmens (Konzern, Haupt- und Zweigwerke)? Welche Betriebe des gleichen Unternehmens sind Ihnen bekannt?
6. Welchen weiteren Unternehmensbesitz hat der Privatbesitzer bzw. der Mehrheitsaktionär (die Mehrheitsaktionäre)?
7. Wie hoch ist der Umsatz des Betriebes? Was für Waren werden produziert und welchen Zwecken dienen sie? Wer ist der Hauptabnehmer der von Ihnen produzierten Waren? Wird vornehmlich für den Binnenmarkt oder für den Export produziert? In welche Länder? Was für Preise werden gefordert (im Inland, im Ausland)?
8. Wieviel Menschen beschäftigt der Betrieb? Wieviel da-

---

* In Zusammenarbeit mit Yaak Karsunke, auch im Kursbuch '21 veröffentlicht, auf der Grundlage des Fragebogens von Karl Marx 1880, zur Situation der franz. Arbeiter.

von sind: technische Angestellte – Verwaltungsangestellte – Arbeiter?

9. Nennen Sie Anzahl der im Betrieb (oder in der Abteilung, in der Sie arbeiten) beschäftigten: ungelernten, angelernten und Facharbeiter, sowie Lehrlinge und Meister (jeweils nach Frauen und Männern getrennt).

10. Werden ausländische Arbeiter beschäftigt? Zu welchen Bedingungen? Wie sind sie untergebracht? Wie werden sie behandelt: von den Kollegen – von den Vorgesetzten?

11. Wie viele Ihrer Kollegen werden nicht entsprechend ihrer Ausbildung beschäftigt (nach Frauen und Männern, deutschen und ausländischen Kollegen getrennt)?

12. Wie viele Ihrer Kollegen kennen Sie persönlich? Von welchen Gelegenheiten her (innerbetrieblich oder außerbetrieblich)?

13. Gibt es außerbetriebliche Kontakte mit: deutschen Kollegen – ausländischen Kollegen – Vorgesetzten? Welcher Art?

14. Haben Sie im Betrieb schon einmal mit dem Besitzer bzw. einem Direktor gesprochen? In welcher Angelegenheit? Hat er Sie rufen lassen oder haben Sie sich an ihn gewandt?

15. Von wem und nach welchen Gesichtspunkten (Dauer der Betriebszugehörigkeit, Beziehungen, Können) werden die unmittelbaren Vorgesetzten ernannt (Vorarbeiter, Meister, Obermeister)?

16. Wie sind Ihre eigenen Aufstiegsmöglichkeiten?

17. Gibt es Aufstiegssperren? Für wen und aus welchen Gründen?

18. Gibt es ausländische Vorarbeiter oder Meister?

19. Wie verhalten sich die Vorarbeiter und Meister gegenüber: den Kollegen – den höheren Vorgesetzten?

II

20. Wann beginnt, wann endet Ihre Arbeitszeit? An wieviel Tagen in der Woche? (Gegebenenfalls Angaben über gleitende Arbeitszeit, Schicht usw.)

21. Machen Sie Überstunden? Freiwillig oder Pflicht (gezwungenermaßen)? Wieviel durchschnittlich, wieviel im Höchstfall?

22. Gibt oder gab es Fälle von ungesetzlichen Arbeitszeit-überschreitungen (Nachtarbeit, Sonn- und Feiertagsarbeit) von Frauen und Jugendlichen? Wie häufig?

23. Gab es innerhalb der letzten fünf Jahre Fälle von Kurzarbeit? Wann, wie lange, in welchem Umfang (wieviel Kollegen waren betroffen)? Aus welchen Gründen?

24. Gab es größere Entlassungen wegen Produktionsum- bzw. -einstellung? Wurden Sie rechtzeitig von geplanten Um- bzw. Einstellungen unterrichtet? Von wem?

25. Wieviel Zeit verlieren Sie täglich auf dem Weg zum und vom Betrieb? Wie wird er zurückgelegt (zu Fuß, Fahrrad, öffentliche Verkehrsmittel, eigenes Auto)? Wird Ihnen der so entstandene Aufwand (Zeit, Fahr- bzw. Benzinkosten) finanziell ersetzt? Von wem und in welcher Höhe?

26. Gibt es Stempeluhren? Wer muß stempeln, wer nicht? Was für Maßnahmen gibt es bei Verspätung (Lohnabzug, in welcher Höhe)?

27. Werden beim Verlassen des Betriebes Taschen- oder Leibesvisitationen durchgeführt? Wer kontrolliert, wer wird kontrolliert?

28. Gibt es so etwas wie eine ›Betriebsjustiz‹? Wer übt sie bei welchen Anlässen aus? Was für Strafen werden verhängt (z. B. Einbehalten von Teilen des Arbeitslohns)?

29. Können Sie Ihr Arbeitstempo selbst bestimmen? Von wem bzw. wovon wird es bestimmt (Vorarbeiter, Meister, Akkord, Fließband)?

30. Falls Sie Akkord arbeiten: nach welchem System (Refa, MTM)? Hat es in letzter Zeit Akkordverschärfungen gegeben, von wem und wie festgesetzt? Hatten Sie ein Mitspracherecht dabei?

31. Falls Sie am Fließband arbeiten: werden Sie informiert, wenn das Band schneller eingestellt wird? Gibt es ›Springer‹ in genügender Anzahl?

32. Durch wen bzw. wodurch erfolgt die Arbeitskontrolle? Gibt es Kienzle-Schreiber? Fernsehkontrolle? Wissen Sie, wann Sie kontrolliert werden?

33. Was für Pausen haben Sie? Von wem festgesetzt? Wie oft, wie lange, bezahlt oder unbezahlt?

34. Wie werden die Pausen verbracht (einzeln oder gemeinsam)? Wo werden die Pausen verbracht(Arbeitsplatz, Pausenraum, Kantine – wie weit sind letztere vom Arbeitsplatz entfernt)?

35. Können Sie persönlich kurze Pausen (Rauchen, Toilette) einlegen, ohne sich abzumelden?

36. Gibt es Umkleide- und Waschgelegenheiten sowie Toiletten: in welchem Zustand – in ausreichender Anzahl – in Arbeitsplatznähe? Für Arbeiter und Angestellte gemeinsam oder getrennt?

37. Gibt es in Ihrer Branche Berufskrankheiten? Sind Sie darüber informiert worden und durch wen? Finden regelmäßige Untersuchungen der bedrohten Kollegen statt?

38. Gibt es an Ihrem Arbeitsplatz Gefahren? Welcher Art (Maschinen, Material usw.)? Sind Sie darüber aufgeklärt worden und durch wen?

39. Gibt es Arbeitsschutzeinrichtungen (freiwillige, vorgeschriebene)? In welchem Zustand? Werden die Arbeitsschutzbestimmungen eingehalten oder werden Verstöße dagegen geduldet bzw. sogar verlangt? Von wem?

40. Werden Kontrollen (z. B. vom Gewerbeaufsichtsamt) durchgeführt? Überraschend oder nach Anmeldung, gründlich oder oberflächlich? Werden vor angemeldeten Kontrollen plötzlich Mängel behoben?

41. Haben Sie und Ihre Kollegen selbst die Möglichkeit, die Beseitigung von Mängeln und Mißständen durchzusetzen (Lärm, Staub, Abgase, ätzende Chemikalien, Hitze, Kälte, Zugluft usw.)?

42. Wie viele Unfälle gab es im letzten Jahr? Wieviel davon: leicht – schwer – tödlich? Gibt es ärztliche Hilfe im Betrieb?

43. Hatten Sie selbst Unfälle? Art, Ursache, Folgen?

44. Ist es im Anschluß an Unfälle zu Prozessen gekommen? Zwischen wem und mit welchem Ausgang?

III

45. Ist Ihr Lohn: Tariflohn – frei vereinbart (kurz- oder langfristiger Arbeitsvertrag) – Tariflohn mit frei vereinbarten Zuschlägen (welcher Art: Leistungszulagen, Gewinnbeteiligung)?

46. Nach welchem System wird entlohnt (Akkord, Zeitlohn, Prämienlohn, Beteiligungslohn, Leistungslohn usw.)?

47. Wissen Sie, was Ihre Kollegen verdienen? Was verdient der Vorarbeiter, der Meister? Was verdient der Direktor (die Direktoren)?

48. Erhalten Männer und Frauen, erhalten deutsche und ausländische Kollegen den gleichen Lohn für gleiche Arbeit?

49. Was für Sozialleistungen gibt es (Kindergeld, Werkswohnung usw.)? Unter welchen Bedingungen bekommt man eine Werkswohnung, wann wird man daraus gekündigt?

50. Gibt es Prämien für Verbesserungsvorschläge? In welcher Höhe? Vergleichen Sie die Höhe einer solchen Prämie mit der Höhe des Gewinns, den der Unternehmer aus der prämiierten Verbesserung zieht.

51. Gliedern Sie Ihren monatlichen Verdienst auf in: Tariflohn – Zulagen – Überstunden. Berechnen Sie den Unterschied zwischen tarifvertraglich gesichertem und tatsächlichem Lohn.

52. Hat es in den letzten fünf Jahren Fälle von Lohnabbau gegeben? Wann, aus welchen Gründen, für welchen Zeitraum, in welcher Höhe?

53. Gibt es seit dem Inkrafttreten des Lohnfortzahlungsgesetzes Fälle, daß der Unternehmer kranken Kollegen die Zulagen streicht und lediglich den tarifvertraglich gesicherten Lohn weiterzahlt?

54. Falls Sie in einer Aktiengesellschaft beschäftigt sind: entspricht einem Anstieg der Dividende für die Aktionäre auch ein Ansteigen Ihres Lohns, werden Sie also an dem von Ihnen erarbeiteten Gewinn des Unternehmens beteiligt?

55. Wer in Ihrer Familie arbeitet noch? Wie hoch ist der monatliche Gesamtverdienst? Wie hoch ist die Monatsmiete?

56. Haben Sie eigenen Besitz (Haus-, Grund-, Aktienbesitz usw.)? Verfügen Sie über ein Bank- bzw. Sparkonto (Sparbuch)?

57. Könnten Sie aufgrund Ihrer Ersparnisse für längere Zeit mit der Arbeit aussetzen, um zu reisen oder sich weiterzubilden?

58. Besuchen eines oder mehrere Ihrer Kinder eine Oberschule? Eine Universität? Falls nicht: aus finanziellen – aus anderen Gründen (welchen)?

59. Besitzen Sie ein Auto? Neu oder gebraucht gekauft, bar oder auf Raten? Bestehen sonstige Zahlungsverpflichtungen? Für welche Anschaffungen und in welcher Höhe?

60. Ist Ihnen ein Fall bekannt, daß sich ein Kollege von seinem Arbeitslohn so viel sparen konnte, daß er sich vor Erreichung des Pensionsalters zur Ruhe gesetzt hat?

61. Haben Sie Freunde oder Bekannte, die finanziell wesentlich besser als Sie gestellt sind? Aus welchen Berufen?

62. Ist Ihnen die Vermögenslage des Besitzers bzw. der Mehrheitsaktionäre des Betriebes bekannt, für den Sie arbeiten? Wie ist dieses Vermögen angelegt: Haus- und Grundbesitz – Firmen- und Aktienbesitz – Ferienhäuser im Ausland usw.?

63. Wieviel Urlaub haben Sie jährlich? Wie oft waren Sie in den letzten zehn Jahren im Urlaub verreist?

64. Wann waren Sie zum letzten Mal verreist? Wohin, wie lange? Allein – mit (Ehe-)Partner – mit Familie? Wie finanziert?

IV

65. Gibt es einen Betriebsrat? Wieviel Sitzungen hat er monatlich? Wieviel organisierte Kollegen – nichtorganisierte Kollegen – Angestellte gehören ihm an? Wie lange gehören ihm die einzelnen Mitglieder bereits an? Wie viele von ihnen sind freigestellt?

66. Wie ist die Haltung des Betriebsrats: gegenüber den Kollegen – gegenüber der Firmenleitung? Wie ist sein Ansehen: bei den Kollegen – bei der Firmenleitung?

67. Richtet sich der Betriebsrat nach den Forderungen der Kollegen? Haben Sie selbst sich schon einmal an den Betriebsrat gewandt? In welcher Angelegenheit und mit welchem Erfolg?

68. Kann der Betriebsrat seine Arbeit ungehindert ausführen oder gab es Versuche der Firmenleitung, ihn zu beeinflussen bzw. unter Druck zu setzen? Bei welcher Gelegenheit und auf welche Art? Gab es Versuche der Firmenleitung, sich eines unbequemen Betriebsrats-Mitglieds zu entledigen? Wie?

69. Sind Sie gewerkschaftlich organisiert? Bei welcher Gewerkschaft? Wie hoch ist der Anteil der gewerkschaftlich Organisierten unter Ihren Kollegen?

70. Gibt es Vertrauensleute? Wie viele und welcher Ge-

werkschaft? Werden sie gewählt (wie und wie oft) oder eingesetzt (von wem)? Welche Aufgaben haben sie?

71. Führen die Vertrauensleute Sitzungen durch (wie oft, wann, wo)? Was sind die Sitzungsthemen?

72. Gibt es Auseinandersetzungen zwischen den Kollegen und dem Betriebsrat? Auseinandersetzungen mit der Gewerkschaft? Auseinandersetzungen zwischen Betriebsrat und Gewerkschaft? Worüber?

73. Finden Betriebsversammlungen statt (wie oft, wann, wo)? Wer bereitet sie vor? Welche Themen werden behandelt und wer bestimmt diese Themen?

74. Wer nimmt an der Betriebsversammlung teil (wie viele Kollegen, Gewerkschaftsvertreter, Direktion usw.)? Wer spricht? Wird diskutiert? Stellen die Kollegen unbequeme Fragen oder haben sie Angst vor den Folgen (welchen)?

75. Haben Politiker (auch Kommunalpolitiker) den Betrieb besucht? Welche und auf wessen Einladung? Haben sie zur Belegschaft gesprochen und worüber? Mit oder ohne anschließende Diskussion?

76. Läßt die Firmenleitung unentgeltlich Zeitungen, Zeitschriften, (politische) Broschüren verteilen? Welche (Titel)?

77. Sind Ihnen Fälle bekannt, in denen Kollegen wegen politischer Äußerungen oder Betätigung Nachteile hatten? Welche (Versetzung, Kündigungsandrohung, Entlassung)?

78. Gibt es einen Werkschutz (Werksicherheitsdienst)? Wie viele Angehörige hat er? Gliedern Sie diese Angehörigen nach Alter und Gewerkschaftszugehörigkeit auf.

79. Setzt sich der Werkschutz aus Belegschaftsmitgliedern zusammen oder wurden ehemalige Angehörige der Polizei, des Bundesgrenzschutzes, der Bundeswehr verpflichtet?

80. Ist der Werkschutz bewaffnet? Womit? Hält er Schießübungen ab? Wie oft und wo?

81. Welche Aufgaben hat der Werkschutz (Aufklärung von Diebstählen, Bewachung der Produktionsanlagen, sonstige)?

82. Führt der Werkschutz auch politische Ermittlungen durch? Welche und wie? Ermittelt er auch im privaten Bereich der Kollegen?

83. Welche Aufgaben hat der Werkschutz bei Streik zu erfüllen?

84. Ist innerhalb der letzten fünf Jahre gestreikt worden? Mit oder ohne gewerkschaftliche Unterstützung (sogenannte ›wilde Streiks‹)? Waren es: Teilstreiks – allgemeine Streiks – Warnstreiks?

85. Aus welchen Gründen wurde gestreikt (Lohnforderungen, Arbeitszeit, sonstige Gründe, politische Gründe)? Wie oft, wie lange, mit welchem Erfolg?

86. Wer hat den Streik angeregt, wer hat ihn organisiert? Gab es Streikbrecher und wie wurden sie behandelt (während des Streiks – danach)?

87. Gab es Aussperrungen?

88. Gab es während des Streiks Eingriffe der Polizei, des Bundesgrenzschutzes usw.? Gab es während des Streiks oder danach Ermittlungen der Kriminalpolizei oder der politischen Polizei? Sind Kollegen (Streikführer oder andere) in der Folge des Streiks entlassen worden?

89. In welcher Höhe und von wem (welcher Organisation) wurde der Streik unterstützt? Auch von ausländischen Gewerkschaften? Sind Ihnen Fälle bekannt, in denen deutsche Gewerkschaften streikende ausländische Kollegen unterstützten?

90. Gibt es in dem Betrieb, in dem Sie arbeiten, Mißstände, die Ihrer Meinung nach einen Streik rechtfertigen würden oder die nur durch einen Streik zu beheben wären? Welche? Für welche überbetrieblichen Forderungen sollte gestreikt werden?

V (Anhang)

Name und Sitz der Firma?

Alter und Geschlecht des Befragten?

Die Antworten auf diesen Fragebogen können ergänzt werden durch Beifügen von:
– Betriebsordnungen
– Betriebszeitungen
– Aushängen am Schwarzen Brett (Abschriften)
– Briefe an Kranke, in denen mit Maßnahmen des Unternehmens bei längerer oder wiederholter Krankheit gedroht wird